La enfermedad de Parkinson

Colección Resortes
14

La enfermedad de Parkinson

W. Birkmayer y W. Danielczyk

Walther Birkmayer
y Walter Danielczyk

La enfermedad
de Parkinson

Herder

Versión castellana de CRISTINA HALBERSTADT de la obra de
WALTHER BIRKMAYER y WALTER DANIELCZYK, *Die Parkinson-Krankheit,*
TRIAS Thieme Hippokrates Enke, Stuttgart [7]1996

Diseño de la cubierta: CLAUDIO BADO y MÓNICA BAZÁN

© *1981, 1996 Georg Thieme Verlag, Stuttgart*
© *1997, Empresa Editorial Herder, S.A., Barcelona*

Fotocomposición: COMPTEX & ASS., S.L.
Imprenta: LIBERDÚPLEX, S.L.
Depósito legal: B - 36.208-97
Printed in Spain

ISBN: 84-254-2000-8   **Herder**   Código catálogo: RST0012

Provença, 388. Tel. (93) 457 77 00 - Fax (93) 207 34 48 - 08025 Barcelona
e-mail: editorialherder@herder-sa.com-htte:\\www.herder-sa.com

Índice

Sobre este libro

Hoy en día, cada vez más personas llegan a una edad que para la mayoría antes parecía inalcanzable. Las enfermedades del cerebro que están íntimamente relacionadas con la edad, tal y como ocurre con la enfermedad de Parkinson, disminuyen la calidad de vida de un grupo de personas cada vez más numeroso.

Esta situación provocada por la medicina moderna, la cual hace posible el aumento de la esperanza de vida y, en consecuencia, la duración de una dolencia crónica, anima a todos los científicos del mundo a encontrar una forma de envejecer con más salud y menos problemas.

Cada año se dispone de más conocimientos acerca de la enfermedad de Parkinson y se desarrollan nuevas terapias. Según nuestra opinión, los pequeños cambios en el tratamiento de cada uno de los enfermos de Parkinson pueden suponer un gran alivio para los mismos.

La gran acogida que ha tenido este libro hasta el momento ha permitido publicar siete ediciones en su versión original. Agradecemos a la Dra. Elisabeth Handerek su excelente trabajo con el manuscrito y, especialmente, la elaboración del capítulo «Consejos para la vida cotidiana y el cuidado personal».

W. BIRKMAYER
W. DANIELCZYK

Introducción

La primera descripción de la enfermedad de Parkinson fue realizada por el médico inglés James Parkinson en el año 1817. Los síntomas fueron descritos con tanto detalle que hoy en día, 150 años después, no hay que incluir prácticamente otros síntomas. James Parkinson denominó la enfermedad que había descrito «shaking palsy» (parálisis agitante). Esta denominación no es del todo acertada, dado que no se trata de una verdadera parálisis. La enfermedad de Parkinson se basa, ante todo, en un trastorno del metabolismo del sistema nervioso central. Para la localización y caracterización más exacta de esta alteración, a continuación se incluye un resumen de la estructura y función del sistema nervioso.

Introducción

Localización y desarrollo de la enfermedad de Parkinson

Estructura y función del sistema nervioso

El sistema nervioso del ser humano se clasifica en central y periférico.

El sistema nervioso central comprende el cerebro y la médula espinal. El sistema nervioso periférico está formado por las vías motoras, que se extienden desde la médula espinal hasta los músculos y las vías sensibles (fibras nerviosas sensibles), que transmiten los estímulos desde los receptores de la piel, las articulaciones, los músculos y tendones hacia la médula espinal.

El cerebro está formado por una corteza cerebral (córtex) (figura 1), el cuerpo calloso (situado entre la corteza cerebral y el tronco cerebral) (figura 2) y el tronco cerebral (parte del cerebro más profundo) (figura 3, página 15),

La cisura de Rolando (figura 1) divide el córtex en una mitad anterior y otra posterior. De la mitad anterior se emiten impulsos motores hacia la médula espinal, que allí son transformadas en células motoras del asta anterior. Desde estas células se emiten impulsos motores que también controlan el movimiento y que

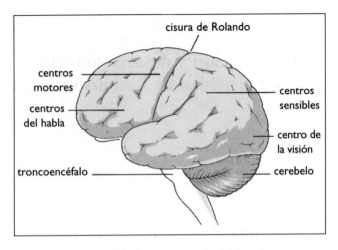

Figura 1: Visión lateral de la corteza cerebral (córtex).

llegan hasta los músculos. En las regiones cerebrales que se encuentran situadas delante de la cisura de Rolando (figura 1), el lóbulo frontal, se perciben conscientemente las diferentes sensaciones captadas a través de los sentidos; en el lóbulo parietal el tacto, en el lóbulo occipital las sensaciones visuales y en el lóbulo temporal las sensaciones auditivas.

Los procesos del pensamiento humano se basan en una combinación de todas las señales que llegan al cerebro, desempeñando las diferentes regiones cerebrales distintas funciones, por ejemplo, el lóbulo temporal es el responsable de la memoria mientras que el lóbulo frontal del cerebro lleva a cabo determinadas tareas de nivel superior.

Finalmente, el cerebelo, situado entre el tronco cerebral y el córtex, es el centro de coordinación motora, es decir, armoniza los diferentes movimientos del cuerpo y las extremidades. Independientemente del sistema con que cuenta el cerebelo, el cual obedece en

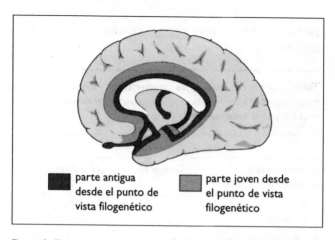

parte antigua desde el punto de vista filogenético

parte joven desde el punto de vista filogenético

Figura 2: El cuerpo calloso: gris oscuro = parte más antigua con respecto al desarrollo filogenético del cerebro; gris = parte más joven filogenéticamente. En el cuerpo calloso, todos los órganos internos (corazón, hígado, pulmón, riñón, etc.), así como todos los sentimientos (deseo, desinterés, alegría, cólera, ira) tienen su representación.

gran medida nuestras órdenes y cuyas funciones suelen ser percibidas de forma consciente, existe el denominado sistema nervioso vegetativo. Éste regula las funciones de los órganos internos (corazón, pulmón, hígado, riñón, intestino y vasos sanguíneos), como también la actividad de las glándulas y sus secreciones, como son la hipófisis, la vesícula biliar, las glándulas suprarrenales y las glándulas sexuales. La función de estos sistemas orgánicos no están sujetos a nuestra voluntad y también se desarrolla de forma inconsciente.

El sistema nervioso vegetativo se divide en el sistema simpático y el parasimpático (tabla 1). El primero controla todos los procesos que consumen energía (corazón, activación de la hipertensión, movilización de la glucosa), el sistema parasimpático regula los procesos que generan energía (sueño, digestión, relajación) .

Tabla 1: Breve resumen de las características y funciones del sistema simpático y parasimpático; visión general de los trastornos provocados por la enfermedad de Parkinson

Sistema nervioso vegetativo		
Sistema nervioso simpático	Sistema nervioso **parasimpático**	
Consumo de energía	Generación de energía	En el transcurso de la enfermedad de Parkinson se producen trastornos (irritaciones) en el sistema parasimpático, cuyas consecuencias son las siguientes:
Acción, rendimiento	Descanso, relajación, sueño	
Aumento de la presión arterial	Reducción de la presión arterial	
Aceleración de la frecuencia cardíaca	Disminución de la frecuencia cardíaca	
Movilización de la glucosa del glucógeno almacenado	Transformación de la glucosa en glucógeno	vómitos estreñimiento seborrea, sudores salivación retención de orina hipotensión edemas en las piernas vértigo
Domina durante el día	Domina durante la noche (digestión)	
Es estimulado por el café	Es estimulado por el alcohol	
Sustancia transmisora: noradrenalina y otras	Sustancia transmisora: serotonina y otras	

La figura 3 muestra los órganos del denominado sistema extrapiramidal. Las vías nerviosas extrapiramidales son aquellas que controlan los movimientos involuntarios. Los fascículos piramidales son las vías de los movimientos involuntarios.

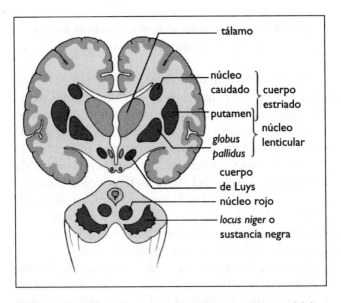

Figura 3: Esquema de los órganos del sistema extrapiramidal. Los órganos están destacados en color gris (según W. Scheid: Lehrbuch del Neurologie, 5 edición, Thieme, Stuttgart 1983).

Estos órganos, conocidos por el nombre de ganglios basales, incluyen en núcleo caudado, el putamen, el *globus pallidus* , el núcleo rojo (que recibe este nombre por su color) y el *locus niger* (o sustancia negra como consecuencia de las células nerviosas que tienen un contenido en melanina). Este grupo de células nerviosas están conectadas entre sí por medio de numerosas vías, que también las unen con la corteza cerebral y las vías aferentes de las células nerviosas de la médula espinal. Regulan los movimientos instintivos, inconscientes y automatizados, la expresión mímica de la fisionomía y la postura del cuerpo.

15

Transformaciones del sistema nervioso a causa de la enfermedad de Parkinson

Tretiakoff pudo demostrar en 1917 (en París) en el cerebro de los enfermos de Parkinson, más exactamente en una determinada parte del troncoencéfalo la sustancia negra, falta un pigmento negro (melanina) (figura 3). Cuando se corta transversalmente el cerebro de una persona afectada por la enfermedad de Parkinson, la sustancia negra no tiene color, sino que aparece pálida. Ésta fue la primera indicación acerca de la localización de la enfermedad. Naturalmente, entonces aún no se sabía qué causa producía este efecto y qué relación tenía con la enfermedad.

En los años 50, investigadores norteamericanos y suecos descubrieron una acumulación de determinadas sustancias químicas en la región del troncoencéfalo. Estas sustancias eran la noradrenalina, la serotonina y la dopamina (figura 4).

De la noradrenalina se sabía que en el cuerpo desempeñaba una función de sustancia transmisora para el sistema simpático, o sea, de estimulación. La noradrenalina controla determinados rendimientos energéticos del cuerpo: aumenta la frecuencia cardíaca, la presión arterial, produce actividad y su exceso produce ansiedad.

La serotonina está presente, sobre todo, en los órganos internos; activa la peristalsis y la secreción de determinadas enzimas necesarias para la digestión. En el pulmón provoca broncoespasmo y un aumento de la secreción de mucosidades.

La dopamina también se encuentra en todo el organismo aunque todavía se desconoce la función que desempeña. ¿Se trata de un paso previo a la noradrenalina o tiene sus propias funciones?

Cuando se detecta una sustancia química en una determinada región del cuerpo, se puede tener la certeza que desempeña una tarea determinada.

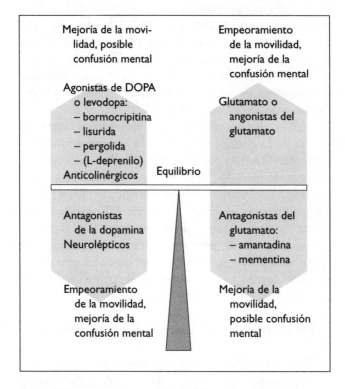

Figura 4: Representación simplificada del equilibrio glutamatérgico y dopaminérgico en el cerebro (según Rieder y otros).

En la enfermedad de Parkinson, estas tres sustancias, la noradrenalina, la serotonina y la dopamina, presentan unos niveles más bajos en los núcleos, los ganglios basales. (Tal y como ya se ha dicho, los ganglios basales son grupos de células nerviosas que controlan la suma de los movimientos automáticos, tales

como andar, correr, saltar y nadar y la postura erguida del cuerpo.) Mientras que el descubrimiento de la
sustancia negra en un principio no aclaró su relación
con los diferentes síntomas de la enfermedad de Parkinson, el conocimiento de la reducción de estas tres
sustancias transmisoras (noradrenalina, serotonina y
dopamina) ofreció una nueva explicación sobre la aparición de la enfermedad y dio nuevas posibilidades de
tratamiento, es decir, el tratamiento con levodopa,
también denominada L-dopa (Birkmayer 1991).

En los últimos tiempos se ha reconocido la importancia de la glutamina y el ácido gammaaminoglo-
bulínico (GABA) para la efectividad de la levodopa
en los enfermos de Parkinson (ver figura 5). La hiperactividad del sistema glutaminérgico en los núcleos
subtalámicos provoca un trastorno del equilibrio que
existe entre el sistema glutaminérgico y el dopaminérgico. La consecuencia práctica es la utilización de
antagonistas del glutamato, entre otros las que mejoran este desequilibrio, o bien la electroestimulación.

Diferentes tipos de enfermedad de Parkinson

Para los médicos es de gran importancia saber que
existen diferentes tipos de enfermedad de Parkinson.
Después de la denominada gripe española de los años
1917-1921 (enfermedad del sueño europea) apare-
ció como enfermedad asociada el Parkinson conocido como postencefálico. Los enfermos de esta enfermedad ya han fallecido. Un 90% de los enfermos de
Parkinson sufren el tipo denominado idiopático, es
decir, de causa desconocida. Las células nerviosas pigmentadas de la sustancia negra mueren y, como consecuencia de esta pérdida de melanina, se reducen los

niveles de dopamina, pero también de noradrenalina y serotonina.

Los síntomas de la enfermedad de Parkinson son consecuencia de ello. Sin embargo, hoy en día aún no se sabe qué produce el agravamiento paulatino (degeneración progresiva) del cuadro patológico.

Aparición e incidencia de la enfermedad

La prevalencia, es decir, la frecuencia de la enfermedad de Parkinson, se cifra en la República Federal Alemana en el 1-2,5 % de las personas mayores de 60 años. La incidencia de la enfermedad aumenta con la edad y en la actualidad afecta a 100 de cada 100.000 habitantes mayores de 80 años. Paralelamente al importante aumento en el número de las personas de edad muy avanzada que se ha observado en los últimos años, también se ha producido un incremento del número de enfermos de Parkinson.

La transmisión hereditaria de la enfermedad parece no desempeñar un papel importante. En la actualidad, las discusiones de los efectos de determinadas sustancia nocivas presentes en el entorno ocupa el primer plano después del descubrimiento de que la droga que se utilizaba en los Estados Unidos como sustituto de la heroína (MPTP) podría dar lugar a la enfermedad de Parkinson. También las lesiones graves de la cabeza parecen tener alguna influencia en el desarrollo de la enfermedad de Parkinson. Incluso la forma de vida moderna podría conducir a un agotamiento prematuro de las enzimas que participan en el metabolismo cerebral cuando existe una determinada predisposición.

Causas bioquímicas de la enfermedad de Parkinson

Tal y como ya se ha dicho antes, en la enfermedad de Parkinson se detectan en determinadas regiones del tronco cerebral un déficit en dopamina, noradrenalina y serotonina. De acuerdo con su estructura química, estas tres sustancias corresponden al grupo de las aminas biógenas. Están formadas por aminoácidos esenciales. Los aminoácidos esenciales son sustancias que el organismo no puede producir, sino que obtiene de los alimentos. A través de diferentes enzimas se sintetizan las aminas biógenas. Estas aminas son precisamente las sustancias transmisoras que se almacenan en las células nerviosas del organismo y, sobre todo, en el troncoencéfalo.

Mediante la estimulación de la célula nerviosa se liberan las sustancias transmisoras, las cuales alcanzan un receptor donde producen un efecto. Se denominan también neurotransmisores ya que transmiten estímulos, con lo cual cumplen una función o la ponen en funcionamiento.

La figura 5 muestra la obtención de dopamina y noradrenalina a partir del aminoácido esencial fenilalanina. A través de la fenilalaninahidroxilasa se obtiene tirosina. Con ayuda de la tirosinasa, una enzima muy importante, se obtiene DOPA y a través de la descarboxilasa dopamina, la cual es una amina biógena, es decir, un neurotransmisor que controla la motricidad automatizada e inconsciente en el cerebro.

Las sustancias transmisoras (aminas biógenas) en general y la dopamina en concreto no puede cruzar la barrera hematoencefálica. Se podría decir que esta barrera es una aduana que solamente permite que determinadas sustancias de la sangre penetren en las células nerviosas del cerebro. Las aminas biógenas no

Figura 5: Estructura de los neurotransmisores dopamina y noradrenalina. Un aminoácido esencial, la fenilalanina, se obtiene de los alimentos. Gracias a la actividad de la enzima fenilalaninahidroxilasa se obtiene tirosina. La próxima fase se activa mediante la tirosinasa. Se obtiene DOPA. La enzima descarboxilasa produce a partir del aminoácido DOPA el neurotransmisor dopamina (una denominada anima biógena). Finalmente, la β-hidroxilasa activa el paso desde la dopamina a la noradrenalina.

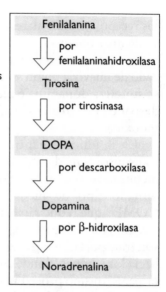

se cuentan entre estas sustancias, pero sí sus elementos previos, como la DOPA o el triptófano (sustancia precursora de la serotonina).

La dopamina es tanto un neurotransmisor con un efecto propio como también la sustancia precursora de la noradrenalina. A través de la enzima β-hidroxilasa, se obtiene noradrenalina de la dopamina, un neurotransmisor con un efecto específico sobre el cuerpo y el cerebro. El aminoácido previo a la serotonina es el triptófano. A través de la actividad de la triptofanhidroxilasa se obtiene 5-hidroxitriptófano y a través de la descarboxilasa el neurotransmisor serotonina.

La figura 6 muestra un esquema de las funciones de los neurotransmisores. Se ha utilizado el siguiente ejemplo: la dopamina está almacenada en la célula nerviosa. Por medio de un impulso nervioso traspasa la membrana sináptica y la unión sináptica y accede a los receptores musculares. Allí desencadena un impulso de movimiento y es reabsorbido por la célula nerviosa es su camino de vuelta (después de haber cruzado de nuevo la unión sináptica). En la célula nerviosa se sintetiza dopamina en las mitocondrias, la cual es destruida por una enzima, la denominada monoanimooxidasa.

En la unión sináptica se destruyen los neurotransmisores mediante una enzima, la denominada 0-metiltransferasa. En breve se comercializarán un determinado tipo de medicamentos, los inhibidores COMPT que reducirán la rapidez del proceso de destrucción de la dopamina. Los productos de deshecho son transportados a través de la circulación sanguínea hacia los riñones, donde son eliminados a través de la orina. El mismo procedimiento se observa en las células nerviosas, donde se sintetiza y almacena el neurotransmisor noradrenalina. También la serotonina es sometida al mismo proceso en unas células específicas para ello.

Existen determinadas sustancias químicas que provocan la apertura de estos depósitos dentro de la célula nerviosa, por ejemplo, la reserpina, una sustancia que se obtiene a partir de la planta india conocida como rauwolfia. Como consecuencia de esta liberación de noradrenalina, pero también de serotonina y dopamina, la reserpina provoca una disminución de la tensión arterial periférica: si la liberación de noradrenalina de las células nerviosas es mayor, será destruida por medio de una enzima (0-metiltransferasa), con lo cual pierde su actividad.

Este mecanismo provoca la disminución de la presión arterial, ya que el neurotransmisor noradrenalina, el responsable de esta función, ya no llega en cantidad suficiente hasta el receptor. Pero estos medi-

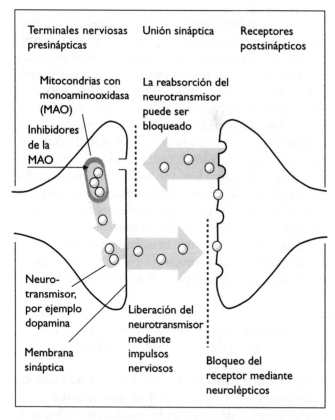

Terminales nerviosas presinápticas   Unión sináptica   Receptores postsinápticos

Mitocondrias con monoaminooxidasa (MAO)

Inhibidores de la MAO

La reabsorción del neurotransmisor puede ser bloqueado

Neuro-transmisor, por ejemplo dopamina

Membrana sináptica

Liberación del neurotransmisor mediante impulsos nerviosos

Bloqueo del receptor mediante neurolépticos

Figura 6: En caso de enfermedad, en la célula nerviosa existe una deficiencia en neurotransmisores (noradrenalina, dopamina, serotonina). Mitocondrias = lugares donde las enzimas sintetizan los neurotransmisores. MAO = monoaminooxidasa, una enzima que destruye los neurotransmisores en la célula. Inhibidores de la MAO = sustancias inhibidoras de la actividad de la monoaminooxidasa.

camentos hipotensores también provocan una liberación de serotonina y dopamina, produciendo fatiga y somnolencia (efectos de la serotonina) y una mayor lentitud en los movimientos activos (déficit de dopamina).

Este empobrecimiento en neurotransmisores bioquímicos (noradrenalina, dopamina, serotonina) producido por un medicamento, muchas veces es la causa de la aparición de un cuadro depresivo, cuyos síntomas son el insomnio, la pérdida del apetito, el desánimo, la tristeza, la incapacidad para tomar decisiones y para concentrarse, así como el miedo. Naturalmente, en el caso de la enfermedad de Parkinson, la reacción frente a los hipotensores es la misma, lo cual agrava aún más los síntomas específicos ya que no solamente disminuyen los niveles de noradrenalina, la sustancia responsable de aumentar la presión arterial, sino también de dopamina.

Cuando se interrumpe el tratamiento con reserpina desaparece el agravamiento de la sintomatología del parkinsonismo, pero la presión arterial sube de nuevo.

¿Cómo se produce el déficit en neurotransmisores característico de la enfermedad de Parkinson?

La causa puede encontrarse tanto en una sintetización insuficiente por el mal funcionamiento enzimático o una aceleración en la destrucción de los neurotransmisores por una actividad excesiva de las enzimas destructoras (monoaminooxidasa o 0-metiltransferasa).

Hemos podido demostrar que la tirosinasa, la enzima que sintetiza DOPA a partir de tirosina (ver figura 5), en los enfermos de Parkinson es un 80 % menos activa en los enfermos de Parkinson que en grupo de control con personas sanas. Aquí se encuentra la razón directa de la carencia de dopamina y noradrenalina. En vista de estos resultados surge inmediatamente la siguiente pregunta:

¿Por qué es tan inactiva esta enzima?

En el organismo humano y animal la tirosinasa se produce en las células pigmentadas, que contienen melanina, de la sustancia negra. La pérdida de pigmentos de la sustancia negra de las personas afectadas de Parkinson ya no están en disposición de producir esta enzima en cantidades suficientes. El mecanismo por el cual se produce la pérdida de pigmentos en la sustancia negra todavía se desconoce por el momento.

Los síntomas de la enfermedad de Parkinson

Los 3 síntomas principales de la enfermedad de Parkinson son los siguientes:
– Temblores *(tremor).*
– Rigidez muscular *(rigor).*
– Retardación de los movimientos y falta de fuerza muscular (acinesia).

Antes de entrar con más detalle en estos síntomas, comentaremos algunos aspectos de los indicios de la enfermedad de Parkinson.

Indicios

Con mucha frecuencia, los enfermos de Parkinson son tratados durante meses e incluso años como reumáticos. Los enfermos se quejan de dolores articulares en hombros, caderas o en la región lumbar. Las exploraciones radiológicas no siempre muestran los signos de desgaste. Estos pacientes son tratados con los diferentes medicamentos antirreumáticos, pero sin éxito. Los dolores aparecen porque la rigidez muscular *(rigor)* provoca una contractura de la musculatura. El tejido cartilaginoso no se nutre a través de los vasos sanguíneos, sino a través del líquido sinovial. Al estar en posición en pie, las capas de cartílago articular son comprimidas y al sentarse la persona, el tejido cartilaginoso absorbe el líquido sinovial y, con ello, las sustancias nutrientes. La alternancia entre presión y descarga constituye un mecanismo nutritivo.

En los enfermos de Parkinson, esta alternancia entre presión y descompresión falta a causa de la contractura muscular permanente. El resultado es la desnutrición de las superficies articulares con los dolores resultantes que desaparecen al sentarse o acostarse.

Un segundo síntoma temprano es la *retardación de los movimientos*, que en numerosas ocasiones el paciente mismo no percibe. Solamente los familiares notan que el enfermo se cansa con más rapidez cuando anda y arrastra los pies al hacerlo. Cuando se explora al enfermo en esta fase no siempre se encuentran síntomas objetivos de la enfermedad.

También la *postura encorvada del cuerpo*, en algunas ocasiones, es un síntoma temprano de la enfermedad, algo que en las personas de edad avanzada no constituye nada anormal. El enfermo mismo prácticamente no se ve limitado, solamente los familiares perciben un cambio en la postura e intentan animar constantemente al enfermo a ponerse recto o a levantar la cabeza. También es posible que se produzca una pérdida de peso.

Un síntoma temprano que el paciente nota antes que los familiares es el *trastorno de la motricidad de precisión*. El anudarse la corbata, por ejemplo, se convierte repentinamente en un problema. Abrir los botones de la manga resulta dificultoso y se hace con mayor lentitud. Al comer tienen que hacer un esfuerzo para cortar la carne. También el retardamiento de la escritura y, sobre todo, la reducción del tamaño de las letras, llama pronto la atención del paciente.

Finalmente, años antes de la aparición de los síntomas claros de la enfermedad de Parkinson, se observan *cambios en el estado de ánimo*. Los pacientes se muestran malhumorados sin razón aparente, sin ánimos ni alegría, sin empuje y sin capacidad para tomar decisiones. Se quejan de sufrir de ansiedad e insomnio. Estos estados de malestar endógeno (sin causa externa) aparecen sin motivos objetivables y se fundamentan en los mismos cambios químicos que determinan la aparición de la enfermedad. En los casos de depresión, las carencias químicas pueden subsanarse, mientras que en la enfermedad de Parkinson muestran un avance constante. El hecho de que un enfermo de 65 años de edad esté aquejado de depresión naturalmente no es razón para deducir que en el futuro esta persona será un enfermo de Parkinson. Numerosos enfermos depresivos no desarrollan Parkinson con el paso del tiempo. Pero si junto a la depresión se observan cambios en la postura y retardamiento de la movilidad general, debe tenerse en cuenta la posibilidad de una enfermedad de Parkinson latente.

Más adelante, cuando se haya desarrollado por completo la enfermedad, no es raro que se produzcan fases depresivas. Cuando los trastornos motores no son severos, pero los pacientes presentan un mal estado general y se quejan de una serie de síntomas hipocondríacos, debe barajarse la posibilidad de que una depresión acompañe la enfermedad de Parkinson. Debe aceptarse este diagnóstico como definitivo cuando los enfermos afirman que por la mañana no son capaces de realizar ninguna actividad física o mental, pero que por la tarde y noche desaparecen prácticamente todas las molestias. El conocimiento de esta posible combinación es importante desde el punto de vista terapéutico, dado que las depresiones responden muy bien a los tratamientos con medicamentos antidepresivos.

Trastornos motores

Temblores (tremor)

El primer signo que permite que un profano reconozca la enfermedad de Parkinson es el temblor. Se trata de un movimiento de vaivén rítmico e involuntario. Con frecuencia, los pacientes solamente notan el temblor internamente antes de que se haga visible al exterior. Una forma especial de temblor, característica del Parkinson, es el denominado temblor en descanso, es decir, las manos solamente tiemblan cuando se mantienen quietas. Estos movimientos se denominan en el habla popular «movimiento de escarabajo pelotero» o «temblor de contar dinero». Cuando se mueven las manos o los pies, el temblor desaparece. Esta forma de temblor es el resultado del ritmo propio de la médula espinal. Normalmente, este ritmo propio está reprimido por medio de ciertos mecanismos del troncoencéfalo. En los casos de lesiones funcionales de estos mecanismos se produce el temblor.

La primera aparición del temblor suele estar acompañada de situaciones de estrés, en numerosas ocasiones después de operaciones con un tiempo prolongado bajo anestesia o situaciones con una fuerte carga emocional (accidentes), pero también después de infecciones generales (gripe).

El temblor suele comenzar por una mano, se extiende después a la otra o hacia un pie. Al enfermo le resulta especialmente desagradable que se intensifique cuando está dominado por estímulos afectivos. Cuando el paciente se encuentra en sociedad, entra en un restaurante o sube a un autobús, se produce un aumento repentino e importante del temblor. Normalmente, la frecuencia permanece igual. Cuando el paciente está sentado tranquilamente y la gente no le mira, el temblor disminuye hasta hacerse prácticamente imperceptible. Esta relación entre el movimiento involuntario del temblor, por una parte, y la situación afectiva, por otra, es decir, entre temblor y excitación, constituye un fenómeno constante. La excitación aumenta los movimientos involuntarios, tanto el temblor como los movimientos coreicos.

La estimulación afectiva, por el contrario, puede mejorar la retardación de los movimientos de estos enfermos, es decir, en las situaciones de una importante tensión afectiva y emocional (alegría, miedo), la movilidad activa del enfermo puede mejorar de forma notable. Este fenómeno se conoce como «cinesia paradójica». Se basa en el hecho de que cuando la vida está en peligro (incendio, catástrofes naturales, etcétera) un enfermo en sí incapaz de realizar movimientos puede andar e incluso correr durante un determinado espacio de tiempo. En una forma más leve, este fenómeno se observa con frecuencia en aquellos casos en los cuales el enfermo entra a la consulta del médico con paso ligero y fluido, mientras que su esposa comenta: «Doctor, debería verle en casa, allí solamente anda lento y encorvado».

El efecto afectivo estimulante de su presentación ante el médico mejora el rendimiento motor del enfermo, pero también intensifica el temblor. Si los brazos aún realizan el movimiento de balanceo al andar, el temblor se agrava de forma importante. Solamente cuando este movimiento de brazos ha desaparecido disminuye el temblor. Durante el sueño suele desaparecer, únicamente en las fases de sueño extremo aparece con mayor intensidad (sobre todo si el sueño está marcado por estrés afectivo). Si durante el curso de la enfermedad de Parkinson aparecen otras enfermedades, por ejemplo, una neumonía grave o el enfermo debe someterse a un tratamiento quirúrgico, el temblor desaparece durante un tiempo y aparece en cuanto se produce la recuperación física, lo cual muestra al médico que se ha superado el punto más severo de esa segunda enfermedad.

Rigidez muscular (rigor)

El *rigor* se caracteriza por una tensión muscular constante e involuntaria. Este aumento del tono muscular o contractura muscular se produce en los agonistas y antagonistas de forma uniforme y simultánea. Normalmente, cuando se realiza la flexión del brazo en el codo, se tensa el músculo flexor (músculo bíceps = agonista) y se relaja el músculo extensor (músculo tríceps = antagonista) del codo. Ello hace posible el movimiento de flexión. Cuando existe *rigor* muscular no es posible relajar el músculo extensor, de forma que el movimiento de flexión solamente puede realizarse con gran esfuerzo tanto de forma pasiva como activa. Cuando el paciente se encuentra completamente inmóvil tiene la sensación de estar rígido. Al producirse el movimiento pasivo del brazo, se observa una resistencia igual en todas las direcciones. Esta resistencia es la causa de la rigidez y bloquea la movilidad activa de las extremidades.

La contractura constante produce dolor, tal y como ya se ha comentado. El *rigor* de la musculatura de la nuca suele producir cefaleas que irradian desde la nuca hasta la frente. La contractura de la musculatura de la nuca reduce la circulación sanguínea a través de las arterias que se extienden desde la columna cervical hasta el cerebro. Ello provoca un déficit en la irrigación cerebral y, en consecuencia, cefaleas.

El *rigor* de la musculatura flexora es más acusado, lo cual da lugar a la característica postura encorvada de los enfermos de Parkinson. El tronco está flexionado hacia el frente, las manos presionan sobre el pecho y las piernas están flexionadas en las articulaciones de cadera y rodilla. Por esta razón, el paciente tiene muchas dificultades para mantenerse erguido. Dado que los síntomas del *rigor* no siempre son idénticos a ambos lados, la contractura muscular unilateral provoca una desviación lateral de la columna vertebral y, en consecuencia, una inclinación del tronco hacia un lado. A causa del estiramiento del aparato ligamentoso de las articulaciones vertebrales, ello provoca no solamente dolor, sino que también afecta negativamente a la movilidad activa y el equilibrio del paciente.

Este *rigor* de todo el cuerpo le da al enfermo la sensación de estar dentro de un corsé de yeso.

Sin embargo, el rigor puede combatirse con diversos medicamentos.

Retardación de los movimientos (acinesia)

La acinesia es una forma particular de los trastornos de la movilidad. El paciente únicamente puede moverse con lentitud y tiene dificultades para iniciar los movimientos. Los impulsos necesarios para adoptar la postura sentada desde la acostada, para dar los primeros pasos estando de pie, solamente se consiguen después de muchos intentos. También el desarrollo de los mismos es más lento y la fuerza que se genera es notablemente inferior. Antes se creía que esta retardación de la actividad motora estaba producida por el *rigor*, es decir, por el aumento del tono muscular. Sin embargo, hoy en día se sabe que la acinesia es una forma propia de esta afectación motora provocada por el déficit de dopamina en determinadas regiones cerebrales.

Como ya se ha comentado, la acinesia afecta al inicio del movimiento, al ritmo del desarrollo del mismo y reduce su intensidad. El paciente no está en disposición de cargar con una bolsa pesada, tiene dificultades para cortar la carne durante la comida y solamente es capaz de verter café en una taza con lentitud y grandes esfuerzos. Los movimientos que deben superar la fuerza de la gravedad son especialmente difíciles de realizar. El enfermo puede empujar perfectamente los brazos hacia delante, pero los movimientos verticales en dirección ascendente no pueden realizarse con tanta fuerza y sin problemas. Saltar con ambas piernas solamente es posible con limitaciones. La acinesia afecta a todos los movimientos del enfermo, el cual anda a pequeños pasos (en los casos más avanzados arrastra los pies por el suelo), pasos que cada vez se hacen más cortos y rápidos, con tendencia a caer hacia delante (propulsión).

El paciente no puede frenar el impulso hacia el frente, realiza movimientos cada vez más veloces hasta que finalmente cae al suelo. Ya no es capaz de llevar a cabo la alternancia fluida entre la pierna de apoyo y la de juego. Anda como una persona sana en una habitación oscura y desconocida. El balanceo de los brazos de la persona sana como residuo de la cuadrupedia sirve para mantener el equilibrio; el enfermo de Parkinson también ha perdido este movimiento. Los brazos se mantienen fijos sobre el pecho o se mantienen rígidos y estirados hacia abajo. Más difícil que andar es girarse, es decir, los cambios de dirección no se llevan a cabo con impulso como en la persona sana, sino con pequeños ángulos de giro. Acelerar o retardar la marcha resulta muy dificultoso. En el transcurso de la marcha suele producirse un bloqueo, que se conoce como efecto de helada. Los observadores tienen la impresión de que el paciente se ha quedado helado repentinamente. Al cabo de algunos segundos o minutos desaparece este total bloqueo de movimientos y el enfermo puede seguir su camino. Estos fenómenos aparecen cuando el desarrollo de los movimientos se ve afectado por otro estímulo afectivo. Por ejemplo, si un enfermo de Parkinson cruza una calle y un coche se le acerca, queda como clavado en el suelo. También en las habitaciones cerradas, cuando se trata de pasar por una puerta, simplemente con pensar: «¡Por allí no paso!», se bloquea todo el movimiento. El rendimiento de las piernas suele estar afectado de forma importante. Pero también hay enfermos que pueden andar más o menos sin dificultad, pero no son capaces de ponerse la chaqueta por sí mismos o hablar en voz alta.

En el habla, la acinesia se refleja en la dificultad para articular y la pérdida de voz. El lenguaje de los enfermos de Parkinson se articula con poca claridad, las palabras no se distinguen bien (acinesia de la musculatura del habla) y, a causa de la reducida capacidad de fuelle de los pulmones (acinesia de la musculatura respiratoria), la persona habla en voz baja y sin fuerza. Además de ello, el lenguaje resulta monótono, carece de cualquier expresividad interna. La velocidad, la potencia y la calidad emocional se ven reducidas. En algunas ocasiones, determinadas sílabas de una palabra se repiten incesantemente, un comportamiento que se conoce como *palilalia.*

La falta de voz para hablar constituye un hándicap importante a la hora de estar en contacto con otras personas. El enfermo pide algo, el cuidador no le entiende, de forma que debe repetir su petición y su voz pierde volumen con cada repetición. La exhortación «¡hable más alto!» tiene el mismo efecto que se le dijera «¡salte sobre el Mont Blanc!».

La incapacidad de mejorar voluntariamente la motricidad o el lenguaje es una característica especial de la enfermedad de Parkinson.

También la inexpresividad de la fisionomía es un signo de acinesia. La cara parece una máscara que no puede expresar ni alegría ni tristeza, se podría decir que se trata de la acinesia de la expresión. Solamente se conserva la expresión de los ojos, que permiten reconocer si la persona siente miedo o alegría, lo cual da una impresión muy peculiar ya que la cara permanece rígida.

Dado que la musculatura extensora es la más afectada se produce la característica postura encorvada de los enfermos de Parkinson, como se ha comentado antes. Este plegamiento del cuerpo en una postura casi embrionaria hace que, en los casos extremos, el enfermo sea incluso incapaz de mirar hacia arriba.

Los movimientos del enfermo de Parkinson, en general, carecen de todo elemento de impulso, lo cual es la causa de que se pierda también el balanceo de los brazos al andar. Todos los movimientos encaminados a corregir la postura se ven afectados. Si a una persona sana se le da un golpe en el pecho, ésta se tambaleará ligeramente hacia atrás, pero permanecerá erguida después de algunos movimientos para conservar el equilibrio. El enfermo de Parkinson no es capaz de realizar estos movimientos, cayendo hacia atrás como un saco de patatas.

La retardación en los movimientos (acinesia) está producida por una carencia de la sustancia transmisora dopamina, tal y como ya se ha comentado en el apartado dedicado a ello. Esta carencia es la causa de la tardanza para dar comienzo al movimiento, que se vuelve más lento, y para la reducción en la capacidad de reaccionar frente al aceleramiento y contención de los movimientos y la rápida fatiga.

La acinesia fluctúa a lo largo del día y presenta períodos de mayor duración. En la vida cotidiana la fluctuación más importante suele observarse en el hecho de que el enfermo, después de haberse recuperado durante el sueño, es capaz de andar casi sin dificultades desde la mañana hasta el mediodía. Después de comer aparece un bloqueo de los movimientos, sobre todo en las fases más tardías de la enfermedad, que puede durar entre una y tres horas. Este efecto ha sido llamado de «on-off». Al contrario de lo que ocurre con el efecto de helada, éste aparece sin que se haya producido un estímulo afectivo, el enfermo parece un personaje del cuento de la Cenicienta. De repente, al cabo de una a tres horas, nota cómo la movilidad vuelve de nuevo a sus miembros. Vuelve a ser capaz de hablar, de levantarse y andar. Estas fases es mejor superarlas manteniendo al enfermo sentado o acostado esperando la recuperación de los depósitos de movilidad.

Todos los medicamentos utilizados hasta el momento para superar este bloqueo de la movilidad han demostrado ser insuficientes. Sin embargo, existen enfermos que tienen dificultades para moverse por la mañana y que deben esperar a la tarde para recuperar la vitalidad y moverse con mayor fluidez.

La sintetización en los depósitos celulares de la sustancia dopamina, necesaria para el movimiento, suele producirse de acuerdo con unos ritmos muy definidos. También la climatología tiene una cierta influencia. Si el tiempo es anticiclónico y seco, los enfermos se encuentran mejor y se mueven con mayor libertad. Si el tiempo es de bajas presiones, lluvioso y gris, se encuentran peor. Tampoco el calor es bien tolerado por ellos. Como se ha dicho, a menudo se observa una cinesia paradójica: Los pacientes que prácticamente no pueden moverse a causa de lo avanzado de su enfermedad, si son sometidos a una situación de estrés intenso (miedo, ansiedad, alegría) pueden andar durante un cierto intervalo de tiempo, incluso correr, es decir, que cuando presentan un determinado estado de ánimo se liberan las últimas cargas de dopamina disponibles, las cuales permiten los movimientos activos.

Trastornos vegetativos

Junto a los trastornos motores como el temblor, el *rigor* y la acinesia, el enfermo de Parkinson también presenta trastornos vegetativos. El sistema nervioso vegetativo es aquella parte del sistema nervioso central que se regula de forma independiente a nuestra voluntad y sin afectar a nuestra consciencia. Controla la circulación sanguínea, el sistema digestivo, los niveles hormonales, la actividad del hígado, el riñón, etcétera. Cuando la carga de estrés de la vida diaria o los problemas psíquicos sobrecargan la capacidad de compensación del sistema vegetativo, los trastornos en sus funciones aparecen en la consciencia y producen molestias. En los casos normales, estas funciones vegetativas son controladas mediante mecanismos de retroalimentación *(feedback)*. Si, por ejemplo, una secreción masiva de noradrenalina aumenta la presión arterial, una función de retroalimentación provocará una liberación de serotonina que reducirá de nuevo la presión sanguínea. Si ésta baja en exceso (teniendo como consecuencia, fatiga y vértigo), se liberará noradrenalina mediante la misma regulación de *feedback*, lo cual regulará la presión arterial.

El enfermo de Parkinson no solamente sufre de una carencia de dopamina, sino también de noradrenalina y serotonina en determinadas regiones del tronco cerebral. Hoy en día se sabe con certeza que la serotonina es la sustancia transmisora del sueño, de la regulación de temperatura, de la peristalsis intestinal y de la secreción de determinadas sustancias. Si una persona sana se encuentra en un lugar caluroso, con ayuda de la serotonina se abrirán los vasos que conectan las arterias y las venas (anastomosis arteriovenosa). Las anastomosis son compuertas que permiten una conexión rápida entre las venas y las arterias. Su apertura provoca una mayor irradiación de calor, igual como ocurre en la calefacción central cuando se abre un radiador. Mediante la regulación de la emisión de calor, la temperatura de la persona de mantiene constante dentro de unos ciertos límites. A causa del déficit de serotonina, el enfermo de Parkinson no está en disposición de abrir estas anastomosis arteriovenosas. Por tanto, no puede irradiar el exceso de calor. Como consecuencia de este bloqueo, cuando el ambiente es caluroso (en verano) se produce una sobrecalentamiento, es decir, fiebre, que en el pasado conducía a muchos de estos enfermos a la muerte.

Además de ello, el enfermo de Parkinson sufre de una mayor salivación. Este síntoma es muy molesto ya que el paciente no puede tragar la saliva, la cual mana constantemente desde la boca sobre la ropa de la persona. Ello no solamente produce una impresión desaseada, sino que también le dificulta el habla, ya de por sí afectada.

Otro síntoma vegetativo son los sudores incontrolados que, independientemente del entorno o del estado de ánimo, aparecen principalmente por la noche y afectan muy negativamente el bienestar del paciente. Algunos enfermos deben cambiarse de pijama hasta tres veces durante la noche.

Algunos pacientes afectados de Parkinson sufren de sofocos (parecidos a los que se observan durante la menopausia de la mujer), que da a su cara un color encendido. Este síntoma está producido por una liberación incontrolada del neurotransmisor serotonina. En sí no tiene mayor importancia, solamente hace que los enfermos se sientan intranquilos y teman un ataque de apoplejía. Los sofocos son el resultado de un trastorno vegetativo.

No es infrecuente que los pacientes se quejen de sensaciones de calor o frío, sobre todo en las piernas, que aparecen normalmente por la tarde o durante la noche. Estas sensaciones son percepciones erróneas de la temperatura (parestesia térmica).

Junto a estas sensaciones térmicas anormales, los pacientes afirman sentir una sensación urente en los pies, hormigueo, prurito o intranquilidad en las piernas que impiden estar acostados en la cama o incluso conciliar el sueño.

La descripción de estos síntomas suele ser imprecisa y su localización muy poco característica, con lo cual estas molestias pueden ser interpretadas como trastornos del sistema vegetativo. Si, por ejemplo, el nervio ciático está irritado y produce dolor, el enfermo puede indicar exactamente la localización y el curso del dolor. Sin embargo, los trastornos vegetativos suelen afectar a una zona más amplia y de límites desdibujados. El enfermo percibe una sensación de calor y una presión en el pecho. Pero no es capaz de indicar concretamente dónde se centra esta molestia. De acuerdo con los conocimientos de que se dispone en la actualidad podemos suponer que estos trastornos de la percepción subjetiva no son provocados por la periferia del organismo, sino en una región cerebral, en el cuerpo calloso (ver figura 2). En esta región del cerebro todos los órganos internos (corazón, pulmón, hígado, riñón, etcétera) cuentan con una representación. Los trastornos vegetativos de la periferia del organismo suelen estar relacionados con estados de ánimo (excitación, ansiedad, miedo). Por tanto, ello fundamenta la suposición de que los trastornos vegetativos son debidos a defectos químicos en el cuerpo calloso, donde el sistema vegetativo y los estímulos afectivos están en conexión.

En la actualidad se sabe a ciencia cierta que, en el caso de los enfermos de Parkinson, estas regiones cerebrales presentan los mismos defectos químicos que las regiones motoras. Los trastornos vegetativos descritos, que producen muchas molestias subjetivas, suelen aparecer en el marco de una depresión larvada (escondida, enmascarada). Se sospecha que también esta enfermedad está producida por el mismo mecanismo del cuerpo calloso.

Al parecer, los trastornos de la micción son de causa puramente periférica, convirtiéndose en un problema. Sobre todo durante la noche, los enfermos sienten urgencia miccional (polaquiuria) cada 5 minutos, por lo cual despiertan a sus familiares, quienes les llevan trabajosamente hasta el aseo, donde solamente pueden orinar unas pocas gotas. Son conducidos a la cama de nuevo y al cabo de poco tiempo se repite el mismo proceso. Es una situación agotadora tanto para los familiares como para los enfermos, quienes son del todo inocentes. La micción se produce gracias al neurotransmisor serotonina, la cual se secreta en mayor cantidad durante la noche, dado que es el responsable de permitir el sueño. Esta mayor liberación de serotonina provoca la micción todavía controlable de forma voluntaria. En el capítulo dedicado a los tratamientos terapéuticos comentaremos en mayor detenimiento estas molestias. Si en el caso de los hombres de edad avanzada existe además una hipertrofia de la próstata, se producirá una retención de orina, es decir, no se podrá vaciar por completo la vejiga. Esta retención suele provocar infecciones urinarias.

En las últimas fases de la enfermedad, estas infecciones urinarias son con frecuencia la causa de crisis más graves. Las infecciones pueden tratarse en un principio con diferentes medicamentos antibióticos. Con el paso de los años, estas infecciones de orina suelen convertirse en crónicas en los pacientes con Parkinson, provocando finalmente una crisis cardíaca.

Otro problema de tipo vegetativo es el de los pies hinchados (edemas). Cuando piensan en los pies hinchados, todos los enfermos sospechan que existe una afección cardíaca, lo cual es infrecuente entre los enfermos de Parkinson. Los edemas de estos pacientes suelen tener una causa química. La liberación de serotonina produce una mayor permeabilidad de las paredes de los vasos sanguíneos, por lo cual el plasma sanguíneo penetra en los tejidos. Al principio, estos edemas pueden combatirse con dosis de triptófano, masajes y diuréticos. Con el paso del tiempo, sin embargo, estos edemas se vuelven ásperos y duros e impiden que los enfermos puedan calzar zapatos normales.

Trastornos psíquicos

Los sentimientos tales como deseo o desinterés, alegría, miedo, bienestar y malestar tienen su representación en el cuerpo calloso del tronco cerebral (figura 2). Un acontecimiento externo a la persona puede provocar una emoción en esta región. Pero también otras cualidades emocionales, como rabia, ira y agresividad, están representados en esta región cerebral. El famoso premio Nobel W. R. Hess, en sus experimentos con gatos, pudo provocar mediante estímulos eléctricos explosiones espontáneas de ira y comportamientos agresivos contra enemigos invisibles. Se trata de nuevo de aquellas regiones donde se almacenan las aminas biógenas que actúan como neurotransmisores funcionales y cuya liberación por las células producen reacciones fisiológicas o patológicas. Por esta razón, no es de extrañar que entre los enfermos de Parkinson, los cuales presentan defectos en estas regiones del troncoencéfalo en cuanto a la anabolización y catabolización de los neurotransmisores, muestren numerosas alteraciones en su comportamiento afectivo y emocional. Duermen en exceso o demasiado poco. Tienen sueños muy intensos. Comen mucho y a pesar de ello están delgados. Viven en un estado de letargo y apatía durante el día, prácticamente no cruzan palabra con sus familiares, o bien muestran una actividad frenética que puede convertirse incluso en agresividad.

La forma más frecuente de los trastornos afectivos de los enfermos de Parkinson es el estado de ánimo depresivo. Los familiares suelen opinar que el paciente está triste a causa de su estado. Un neurólogo con experiencia sabe distinguir perfectamente entre una depresión reactiva, es decir, una reacción frente a una circunstancia o una enfermedad, y una depresión endógena, o sea, de causa bioquímica. Las transformaciones químicas del troncoencéfalo de los enfermos depresivos fallecidos muestran ante todo que la relación entre las diferentes neurotransmisores presenta alteraciones patológicas. Ya hemos hablado del equilibrio de estas neurotransmisores como condición necesaria para que el comportamiento afectivo sea normal. Cuando se pierde este equilibrio aparecen comportamientos enfermizos, uno de los cuales es la depresión. Llaman especialmente la atención aquellas fases de la depresión de los enfermos de Parkinson durante las cuales el rendimiento motor de los mismos es relativamente bueno, estando en total discordancia con la gravedad de su afección psíquica.

Los síntomas característicos de una depresión suelen ser casi exclusivamente «síntomas negativos»: el paciente está desanimado, triste, sin interés por nada, sin empuje, sin capacidad para decidir, sufriendo de insomnio, sin apetito ni libido, etcétera. Los familiares se quejan de que el enfermo muestra un comportamiento absolutamente apático durante el día y no quiere realizar ninguna actividad aunque desde el punto de vista motor no tendrían ninguna dificultad. Estas fases depresivas pueden observarse en los enfermos de Parkinson entre 5 a 10 años antes de manifestarse los primeros síntomas motores. También en el curso posterior de la enfermedad se observan repetidamente fases depresivas. Éstas son reversibles y desaparecen con el tratamiento adecuado al cabo de unos días o semanas. Tampoco son tan persistentes como las depresiones endógenas verdaderas. Naturalmente, en las fases depresivas se agravan las deficiencias a nivel emocional y disminuye el nivel de rendimiento motor.

En los estadios avanzados de la enfermedad, los enfermos de Parkinson presentan con frecuencia fases de confusión mental, la cual suele estar producida por unas dosis excesivas de los medicamentos utilizados para el tratamiento de la enfermedad. Sobre todo por la noche, los pacientes tienen dificultades para orientarse en el espacio o presentan una importante desorientación horaria. Estas fases de confusión se adjudicaban antes a la arteriosclerosis. En sí, los estados de confusión mental no son exclusivos del parkinsonismo, es decir, aparecen en diferentes trastornos de tipo inflamatorio y químico o en casos de problemas circulatorios. Sin embargo, entre los enfermos de Parkinson estas fases de alteraciones psíquicas constituyen unos síntomas característicos de la enfermedad, producidos por desequilibrios químicos en el troncoencéfalo. El paciente ve fantasmas en la habitación vacía, que le persiguen y que de repente desaparecen. Ello produce temor a los pacientes, pero no provoca agresividad en ellos. Como sería de esperar, los familiares están más afectados que los enfermos mismos. El paciente habrá olvidado al espectro al día siguiente y niega ante su familia y su médico que tenga trastornos mentales. Estas fases de confusión con alucinaciones tienen un efecto negativo sobre los familiares, a quienes se puede tranquilizar en cierta medida informándoles que estos trastornos no tienden a agravarse, al contrario de lo que ocurre con las verdaderas enfermedades mentales.

Un trastorno mental específico de los enfermos de Parkinson es la *bradifrenia* (lentitud de las funciones intelectivas). La capacidad para emitir juicios y críticas y la utilización de conceptos abstractos no está afectado, sino que de forma similar a lo que ocurre con la acinesia, se observa un menor empuje, en este caso en cuanto a la asociación de ideas. La articulación de las palabras se hace más lenta, igual que la marcha en la acinesia. La memoria no se ve reducida. La capacidad para concentrarse está más afectada y los rendimientos intelectuales dependen del estado de ánimo. Dado que, generalmente, los enfermos de Parkinson tienen edades avanzadas, la reducción de las capacidades mentales propia de la edad es tan frecuente como las personas sanas de su misma edad. Una persona sana de 75 años de edad también habla con mayor lentitud, así como presentan trastornos de la memoria y de las funciones del pensamiento. Estas cualidades mentales básicas no se muestran alteradas en los enfermos de Parkinson, sino que solamente se observa una mayor lentitud para pensar y reconocer.

Resumen de los síntomas

En el troncoencéfalo se regulan todos los rendimientos vegetativos, las sensaciones afectivas y las reacciones emocionales, así como también los movimientos instintivos y la postura del cuerpo. Todos los mecanismos de adaptación al entorno se producen a través de neurotransmisores químicos. En los enfermos de Parkinson, en determinadas regiones del troncoencéfalo se observa un déficit característico de uno

46

o más neurotransmisores. Además de ello, está alterado el equilibrio necesario entre estas sustancias químicas que hace posible la adaptación de nuestro comportamiento, por lo cual no es de extrañar si junto a los síntomas de alteraciones motoras también aparece afectada la sensación subjetiva de bienestar. Ya se ha comentado la sensación general de desánimo. Sin embargo, no existe prácticamente ningún comportamiento patológico que no se observe en el marco de la enfermedad de Parkinson.

El enfermo de Parkinson sufre, entre otras cosas, de una deficiencia en noradrenalina; como consecuencia de ello, se observa hipotensión, que se hace más patente cuando la persona está en posición erguida. En posición sentada o acostada, la tensión arterial de los enfermos de Parkinson y la persona sana son prácticamente iguales. Pero si el enfermo se pone en pie, su tensión baja. Ello acarrea un aporte deficiente de oxígeno al cerebro, acompañado de vértigo, confusión mental y sensación de opresión en la cabeza. Generalmente, la presión arterial se regula estando de pie (hipotonía ortoestática) y al dar un par de pasos, lo cual permite que los enfermos puedan andar sin problemas. En los casos severos se puede producir también un colapso, es decir, una pérdida del conocimiento.

La suma de los trastornos vegetativos, como las alteraciones en la regulación de la temperatura (pies demasiado calientes o fríos) y la suma de las sensaciones vegetativas de dolor (regiones no delimitadas claramente) forman parte de estas descompensaciones del tronco cerebral. Pero también el letargo general y la apatía de los enfermos de Parkinson, su falta de empuje, su poca participación, su ausencia de ilusión, deben asociarse con los defectos químicos de la región del troncoencéfalo. La especial sensibilidad frente a la climatología provoca una reducción importante del rendimiento motor, como también sensación de malestar y malhumor.

Todos los síntomas mencionados aparecen en forma de crisis. Los sudores aparecen de forma irregular, independientes por completo de la temperatura exterior o de las impresiones psíquicas. La producción de las glándulas sebáceas de la cara y la salivación es diferente cada día, incluso cada hora. La intensidad de estos síntomas suele estar en sintonía con el rendimiento motor y el estado de ánimo.

Mientras que en los pacientes neuróticos y psicopáticos se produce con frecuencia una huida hacia algún tipo de adicción, ello prácticamente no existe entre los enfermos de Parkinson. Las sustancias adictivas, desde el alcohol hasta el hachís, normalmente aplacan las fases de excitación y producen una relajación que se considera placentera. El enfermo de Parkinson, sin embargo, se caracteriza por síntomas carenciales, es decir, sus dolencias son consecuencia de un déficit de sustancias activas. Parece ser que esta deficiencia es la que evita que prácticamente nunca haga uso de medicamentos narcotizantes. Son precisamente estas alteraciones adicionales del comportamiento de los enfermos de Parkinson las que influyen negativamente sobre sus ganas de vivir.

Los familiares de estos enfermos no pueden entender por qué tiene que orinar 10 veces durante la noche y necesita constantemente la ayuda de una persona que le atienda. Las esposas no comprenden por qué razón sus maridos no son capaces de mantenerse rectos. Las enfermas de Parkinson que exigen a sus maridos que les dén la vuelta en la cama varias veces a lo largo de la noche ya que no soportan estar constantemente en la misma posición, son consideradas unas histéricas. Para los familiares, una gran parte de estos dolencias son «imaginarias» y solamente sirven para mortificar a su entorno. Los comportamientos patológicos de los enfermos de Parkinson demuestran que el comportamiento está en muchos aspectos determinado por la función del troncoencéfalo y no puede ser corregido por el córtex tanto como sería de desear.

Curso de la enfermedad benigno o maligno

Todas las enfermedades, sean cáncer o esclerosis múltiple, presentan unos cursos malignos o benignos. Esta misma regla es aplicable a la enfermedad de Parkinson. En todos casos de los 4.000 enfermos de Parkinson que estuvieron bajo nuestro seguimiento personal, fue posible distinguir entre cursos malignos y benignos.

Los pacientes que enfermaban a edad avanzada responden peor que los enfermos más jóvenes presentando, naturalmente, una duración de la enfermedad mucho más corta. Sin embargo, el factor de la edad no es de por sí el único determinante para todos los casos. La duración de la enfermedad muestra diferencias claras. Los enfermos con una forma maligna suelen presentar una duración de la enfermedad que, por término medio, es de 4 años, los cursos benignos suelen tener una duración de aproximadamente 12 años. En consecuencia, la duración de la enfermedad es un criterio que está en proporción directa con la degeneración progresiva de las células nerviosas pigmentadas. Cuanto más rápida sea la degeneración, menor será la duración de la enfermedad.

Existen también otros criterios para establecer una clasificación dentro del grupo de enfermos. El grupo de los cursos benignos muestran una respuesta mucho mejor a la terapia con L-dopa. Durante los dos primeros años de tratamiento, estos enfermos muestran una mejoría general de su capacidad para el rendimiento motor que se cifra en el 40 %. Antes, esta mejoría del nivel de rendimiento se alcanzaba al cabo de 9 años de haberse iniciado el tratamiento. Los casos malignos mostraban una mejoría solamente del 14 % y al cabo de 3 años de terapia se alcanzaba en estado inicial.

La buena respuesta al tratamiento con L-dopa es un signo favorable para el enfermo. No tiene que adaptarse inmediatamente a la vida en una silla de ruedas.

¿Qué consejo se le podría dar a los enfermos que no reaccionan como sería de esperar a la medicación con L-dopa?

En primer lugar, hay que explicarles que cuentan con un número muy reducido de células pigmentadas en la sustancia negra y que el aporte de L-dopa ya no puede ser asimilado. Como consecuencia de ello, los síntomas clínicos de la enfermedad solamente muestran una mejoría muy limitada, especialmente la acinesia (trastornos del movimiento). El mejor consejo médico es recomendar a estos enfermos que lleven un tipo de vida al que puedan hacer frente sin medicamentos. Un aumento de la dosis de L-dopa únicamente produciría un avance aún más rápido de la enfermedad.

Ha demostrado ser efectiva la administración conjunta de pergolida, un nuevo antagonista dopaminérgico. Probablemente, en el futuro los denominados inhibidores COMPT mejorarán la situación de los cursos malignos. La condición necesaria, sin embargo, es que los diagnósticos sean correctos y no existan otras enfermedades cerebrales, algo frecuente en los cursos malignos.

Los casos malignos muestran efectos secundarios al cabo de unos 2 años y medio, como la hipercinesia. Por hipercinesia se entiende una actividad motora más alta de lo común o también la intranquilidad emocional. En los casos benignos se observan únicamente al cabo de 5 a 10 años desde el comienzo de la enfermedad. En los cursos de tipo maligno, un gran número de células de la sustancia negra desaparece. Cuanto mayor es la degeneración celular en este centro neurálgico, menores son las posibilidades de mantener mediante procesos de *feedback* el equilibrio de los transmisores biógenos y con ello frenar la aparición de los efectos secundarios no deseados. La misma relación se observa en las psicosis por DOPA, que suelen estar acompañadas de alucinaciones, las cuales aparecen en los cursos benignos después de 5 a 15 años de tratamiento, en los malignos ya pasados dos años y medio.

También la aparición de efectos «on-off», es decir, el bloqueo del movimiento de unas horas de duración, o de crisis acinéticas, pueden aparecer al cabo de 5 a 10 años en los casos benignos y 2,7 años en los malignos. Estas cifras son valores medios desde el punto de vista estadístico y no deben intranquilizar en absoluto al paciente. Si, por ejemplo, la dosis de L-dopa es demasiado alta, incluso en los cursos benignos puede aparecer acinesia tan sólo a los 2 años del inicio del tratamiento. En este caso, se recomienda a los pacientes reducir primeramente la dosis de L-dopa. En lugar de tomar como medicación Madopar 250 3 veces al día, se reducirá a Madopar 125 también 3 veces al día. Este ejemplo ilustra la precaución que debe tomarse con las dosificaciones. En el caso de los enfermos de Parkinson no hay que pensar en un éxito inmediato, sino que debe procurarse obtener un curso de la enfermedad lo más prolongado posible con la mejor calidad de vida.

Por esta razón, todas aquellas medidas encaminadas a conseguir un efecto óptimo sobre el movimiento con dosis mínimas, como la combinación de L-dopa con benseracida o carbidopa, junto con deprenilo, amantadina o agonistas dopaminérgicos, serán bienvenidas si cumplen los siguientes requisitos, lo cuales hemos recogido en nuestra experiencia clínica:

- Las dosis de L-dopa deben ser lo más reducidas posible para no sobrecargar el defectuoso sistema enzimático en la sustancia negra.
- Es preferible renunciar a los éxitos espectaculares en cuanto a la movilidad de la persona y con dosis bajas de L-dopa conservar durante todo el tiempo posible la síntesis de dopamina en las células nerviosas.
- Se puede realizar una combinación con otros remedios contra el Parkinson.
- Deben reducirse al máximo las influencias negativas del entorno, como por ejemplo, el clima, el estrés, etc.

Tratamiento medicamentoso

Introducción

La condición necesaria para que el comportamiento del ser humano sea normal es que exista un equilibrio entre los neurotransmisores. Si por causa de un defecto en la célula nerviosa se dispusiera de una menor cantidad de un determinado neurotransmisor, sería lógico subsanar este problema con medicación. La dificultad radica, en primer lugar, en establecer qué neurotransmisor falta. Este objetivo se ha conseguido, en cierta medida, en el caso de la enfermedad de Parkinson. Sin embargo, el deseo de reemplazar los neurotransmisores deficitarios choca con la barrera hematoencefálica. No todas las moléculas químicas que están contenidas en la sangre penetran en el cerebro a través de esta barrera, más exactamente, en las células nerviosas. Esta barrera desempeña un papel fundamental en la conservación de la función específica del cerebro. Diversos neurotransmisores, como la noradrenalina, la dopamina, la serotonina, pero también el aminoácido γ no cruzan la barrera hematoencefálica, pero sí lo hacen sus precursores. Estos precursores son aminoácidos a partir de los cuales una enzima sintetiza la amina biógena, es decir, el neurotransmisor efectivo. La enzima descarboxilasa sintetiza a partir de la DOPA la dopamina, el neurotransmisor más activo. De la misma forma, la triptofanodescarboxilasa sintetiza a partir del aminoácido 5-hidroxitriptófano la serotonina, el neurotransmisor responsable del sueño y las funciones digestivas (ver figura 5).

La dopamina, la sustancia fisiológica para el movimiento, falta en el troncoencéfalo de los enfermos de Parkinson. Casi ha sido posible compensar esta deficiencia mediante la administración de su precursor DOPA. Tal y como hemos visto hasta el momento, en el organismo existe un equilibrio entre los diferentes neurotransmisores, también entre los sistemas dopaminérgicos y glutaminérgicos, similar al equilibrio existente entre los diferentes planetas de una galaxia.

Cuando en el caso del Parkinson, la escasez de dopamina en el cerebro se suple mediante la administración de L-dopa, en el mejor de los casos la consecuencia del déficit en dopamina, precisamente la retardación en el movimiento, se elimina o mejora. Sin embargo, si la dosis es excesiva, se producen movimientos automáticos e involuntarios (hipercinesia) como efecto secundario, es decir, el déficit de dopamina con el síntoma que conlleva una carencia, concretamente una mayor lentitud del movimiento (acinesia), se convierte en el síntoma de exceso, la hipercinesia, cuando se compensa la insuficiencia de dopamina por medio de una dosis demasiado elevada de L-dopa.

La primera dificultad del tratamiento estriba en determinar la dosis sustitutoria exacta para cada paciente individual. La segunda dificultad se encuentra en la particularidad de que los enfermos de Parkinson tienen tendencia a presentar una tolerancia limitada frente a determinados medicamentos. Si a una persona sana se la administra L-dopa, ni con las dosis más altas se podrán provocar hipercinesia ni alteraciones psíquicas, es decir, la persona sana cuenta con mecanismos de retroalimentación, gracias a los cuales conserva el estado intermedio deseable.

El siguiente ejemplo debería servir para mostrarles la forma de funcionamiento de un mecanismo de *feedback* o retroalimentación: el principio del refrigerador se basa en un sistema de *feedback* (autorregulación). Un dispositivo sensible registra la temperatura en el interior del frigorífico. Si la temperatura aumenta, el dispositivo informará a un centro (el motor) sobre esta situación anómala. El motor se pone en marcha y baja la temperatura hasta el nivel deseado. Cuando éste se haya alcanzado, otro dispositivo informará al motor, que se apagará seguidamente. Este principio de la autorregulación existe en todo organismo vivo. Se denomina *biofeedback*. El mantenimiento constante de la temperatura del cuerpo se regula mediante este tipo de mecanismos: si la temperatura corporal es demasiado baja, un dispositivo (receptor) informa de esta circunstancia al centro del calor en el cerebro. Éste aumenta la producción de calor acelerando los procesos metabólicos. Cuando se alcanza una temperatura corporal media, el proceso químico se frena mediante un mensaje al centro regulador de la temperatura. Si la temperatura del organismo es demasiado alta, el centro responsable de la misma en el cerebro también será informado sobre esta situación. A través de la estimulación de la producción de sudor y el aumento de la irradiación de calor mediante la apertura de los vasos cutáneos, se perderá mayor cantidad de calor y se recuperará el equilibrio.

En el enfermo de Parkinson, este control mediante *biofeedback* es defectuoso. Tal y como ya se ha comentado antes en el capítulo dedicado a los síntomas, el enfermo de Parkinson solamente es capaz de normalizar parcialmente el aumento de la temperatura corporal mediante los mecanismos de *biofeedback*.

Esta incapacidad propia de los pacientes de Parkinson para conseguir el equilibrio químico de los diferentes neurotransmisores a través de los mecanismos de *feedback* puede tener varias causas:

1. Los receptores de los estímulos no son capaces de transmitir información completa al centro situado en el cerebro.
2. Las células nerviosas no están en disposición de liberar neurotransmisores a causa de la avanzada degradación celular.
3. Finalmente, también un defecto enzimático podría bloquear la disponibilidad de los transmisores compensadores.

La tercera posibilidad, un defecto enzimático, parece ser la causa más probable en las primeras fases de la enfermedad de la aparición de diversos efectos secundarios.

Si la administración de L-dopa se produce en dosis excesivas, al cabo de poco tiempo podrá observarse una movilidad exagerada (hipercinesia). También los efectos de «on-off» aparecen antes si la dosis de levodopa es demasiado elevada.

Únicamente cuando la atrofia de las células nerviosas de la sustancia negra está muy avanzada, los centros de producción de los neurotransmisores ya no están en disposición de llevar a cabo su tarea. La muerte de las células con contenido en melanina de la sustancia negra provoca la inactividad de la tirosinasa. La carencia de esta enzima no es posible sintetizar DOPA a partir de la tirosina y con ello tampoco dopamina. Cuando este proceso de sintetización es imposible desaparece también la regulación mediante *biofeedback*. Los efectos secundarios aparecen con mayor intensidad y antes cuanto más avanzada está la degeneración de las células de la sustancia negra. Se supone que los síntomas de este defecto aparecido en las primeras fases de la enfermedad son consecuencia de una deficiencia enzimática (tirosina, dopadescarboxilasa) y los efectos secundarios de las fases más tardías por los defectos estructurales en la sustancia negra; es decir, después de que hayan muerto estas células nerviosas aparecen efectos secundarios solamente si se aporta levodopa, mientras que los primeros síntomas al inicio de la enfermedad son consecuencia de una deficiencia en la DOPA disponible.

A lo largo de este capítulo se comenta que los pasos decisivos en el tratamiento no se consiguieron únicamente gracias a la administración de levodopa, sino también por las sustancias inhibidoras de determinadas enzimas, es decir, cuando la tirosina, que actúa en un punto decisivo en la síntesis de dopamina, no trabaja suficientemente y la monoaminooxidasa, que en la célula nerviosa del enfermo de Parkinson destruye sin problemas el neurotransmisor dopamina, se ve inhibida, se puede recuperar el equilibrio dado que la menor cantidad de dopamina permanece disponible durante más tiempo porque se ha inhibido su destrucción.

Naturalmente, una vez se ha comprobado que en los enfermos de Parkinson diversas enzimas trabajan de forma insuficiente, aparece la pregunta acerca de la razón. Cuando no parece haber una causa clara, los científicos siempre utilizan el argumento de la herencia. Sin embargo, después de haber estudiado más de 5.000 pacientes, solamente se ha podido comprobar en un reducido grupo (no más de 20) una causa congénita proveniente de la generación directamente anterior. Por tanto, creemos que la insuficiencia enzimática puede ser hereditaria, pero no tiene necesariamente que conducir a la enfermedad de Parkinson. El aumento de la incidencia de esta enfermedad en todo el mundo hace pensar que nuestra vida moderna, con sus exigencias y la carga emocional que supone, sobrepasa la capacidad enzimática de las personas con una propensión genética, de tal forma que da lugar al desarrollo de una enfermedad de lenta progresión con degeneración de las células nerviosas. Éste parece ser el caso, ante todo, del gran número de personas de edad avanzada. La experiencia clínica ha demostrado que los enfermos de Parkinson reaccionan con un agravamiento de su estado después de haberse sometido a situaciones de estrés y con gran carga psíquica y emocional. Este comportamiento indica que la teoría del consumo enzimático es una posible, incluso probable causa.

Desarrollo del tratamiento medicamentoso

La tabla 2 muestra una visión histórica del desarrollo de la enfermedad de Parkinson. En ella se observa que en el siglo pasado ya se trataba esta enfermedad con extracto de belladona. La atropina, también extraída a partir de sustancias totalmente vegetales, se utilizaba como un medicamento anticolinérgico. Estos remedios producen una disminución de la actividad del nervio vago, que constituye el nervio principal del sistema parasimpático, el cual controla los procesos que generan energía. El nervio vago inerva numerosos órganos del cuerpo, desde la musculatura de la pupila hasta el intestino y la vejiga.

Es mejor hablar del sistema nervioso parasimpático, que tiene una función contraria al sistema nervioso simpático (tabla 1). El sistema parasimpático reduce la pupila, el simpático la dilata (por ejemplo, en situaciones de miedo). El simpático provoca una aceleración de la frecuencia cardíaca, el nervio vago su desaceleración. El sistema parasimpático provoca los espasmos de la musculatura bronquial (durante un ataque de asma), el simpático los elimina. El nervio vago pone en funcionamiento la secreción de los jugos gástricos y favorece la peristalsis (avance de los alimentos en el tracto intestinal), el sistema simpático inhibe esta función.

Entre los enfermos de Parkinson se observa una irritación del sistema parasimpático. Ello es la causa de la aparición de síntomas tales como la mayor salivación, la piel seborreica y las sudoraciones. Estos síntomas pueden ser suprimidos mediante la administración al enfermo de medicamentos anticolinérgicos (por ejemplo, la atropina obtenida de la belladona). Los síntomas vegetativos de los enfermos de Parkinson todavía no pueden ser completamente controlados con estos medicamentos. Además de ello, también los síntomas del trastorno motor, como el temblor y los espasmos musculares, pueden aliviarse con sustancias anticolinérgicas.

Se distingue entre los síntomas que provocan respuestas que sobrepasan los niveles normales (temblor y *rigor*). Por el contrario, el otro tipo de síntomas hacen que estas respuestas se sitúen por debajo de la función normal (acinesia).

Tabla 2: Orden temporal del tratamiento para el Parkinson

1867	Ordenstein, Charcot	Belladona
1946	Sigwald	Anticolinérgicos sintéticos
1951	Sigwald	Apomorfina
1961	Birkmayer, Hornkiewicz	L-dopa intravenoso y oral
1962	Barbeau, Sourkes	L-dopa oral
1966	Birkmayer	L-dopa más benseracida
1969	Schwab	Amantadina
1972	Birkmayer, Neumayer	Adición de L-triptófano (flush, sofocos)
1974	Calne	Agonistas de dopamina, bromocriptina
1975	Birkmayer, Riederer	L-deprenilo, inhibidor de la MAO (monoaminooxidasa) de acción específica
1967	Horowski	Lisurida
1988	Birkmayer, Birkmayer J.D.	N.A.D.H.

Esta clasificación de los síntomas, que podrían denominarse síntomas positivos y negativos, tiene un significado práctico, ya que permite decidir si es necesario estimular o reprimir. En el caso del síntoma positivo del temblor, lógicamente, debe reducirse su intensidad, cuando se observa el síntoma negativo de la acinesia debe estimularse el movimiento. De forma análoga pueden explicarse, por ejemplo, los éxitos obtenidos con las operaciones de estereotropismo.

Volvamos a los medicamentos anticolinérgicos. Se usan desde hace casi 100 años y son capaces de neutralizar una parte de los síntomas del Parkinson. Después de acabada la Segunda Guerra Mundial se pudo disponer de medicamentos anticolinérgicos sintéticos. Estos últimos provocan menos efectos secundarios periféricos, como la sequedad de boca o el estreñimiento.

La tabla 3 recoge una selección de las drogas anticolinérgicas más usadas con sus efectos.

Tabla 3: Los principales anticolinérgicos con la intensidad de sus efectos terapéuticos

Preparados	Efecto sobre el rigor (contracturas)	Efecto sobre el tremor (temblores)
Artane	bueno	medio
Kemadrén	bueno	medio
Akinetón	bueno	medio
Tremaril	medio	bueno con limitaciones

Un cambio radical en el tratamiento de la enfermedad de Parkinson se produjo en el año 1961 en Viena, cuando se comenzó la administración del precursor L-dopa (Birkmayer).

En Viena comenzamos primeramente con inyecciones *intravenosas* y tuvimos la suerte de poder observar una clara mejoría de la acinesia en los primeros pacientes sometidos a tratamiento, seleccionados entre los residentes de una institución geriátrica de Lainz. La dosificación de las inyecciones era de 50 mg intravenosos. Las dosis superiores provocaban efectos secundarios y no eran toleradas. En los pacientes que presentaban un estadio más avanzado de la enfermedad y que habíamos tratado durante años, estas pequeñas cantidades de DOPA eran suficientes para producir efectos. Naturalmente, los éxitos eran de corta duración. En las dosis *orales* de 500 mg al día no observamos importantes avances, pero sí efectos secundarios más intensos, lo cual no es de extrañar, ya que la levadopa ingerida se convierte en dopamina en todo el cuerpo (músculos, vasos, hígado, corazón, etc.).

Solamente un 1 % llegaba hasta el cerebro. Para nuestros pacientes con un curso de la enfermedad prolongado se obtenían mejores resultados con la forma inyectada. Pero cuando comenzamos a tratar a los pacientes ambulantes con levodopa pudimos constatar que aquellos que presentaban un grado leve de la enfermedad toleraban mejor el tratamiento por vía oral y un efecto más prolongado.

Sin embargo, la administración oral de levodopa producía en muchos pacientes unos efectos secundarios muy desagradables (náuseas, vómitos, vértigo, molestias cardíacas, dificultades en la micción). Ello hizo necesaria una reducción de la dosis, en algunos casos incluso la interrupción del tratamiento. La alimentación con alto contenido proteico (carne) retrasaba la absorción de la levodopa. También cuando el estómago estaba vacío aparecían con mayor facilidad los efectos secundarios, con lo cual se recomendó la ingestión adicional de leche. Por el contrario, no se produjo una mejoría clara de la tolerancia cuando la dieta era pobre en albúmina o se tomaba leche y medicamentos con el fin de reducir el grado de acidez del estómago.

Al cabo de unos años de tratamiento (entre 1961 y 1965) se pudo demostrar que el 30 % de los enfermos presentaba unos resultados muy buenos, otro 30 % resultados medios y el resto no presentaba ninguna mejoría destacable (non-responders), es decir, un 40 % de los enfermos no presentaba ningún tipo de efectos o bien había sido necesario interrumpir el tratamiento a causa de la seriedad de los efectos secundarios.

Es imprescindible que el médico siempre recalque que el tratamiento con levodopa no lleva a la curación, sino que hace posible la síntesis de dopamina aportando el precursor L-dopa a las células nerviosas de la sustancia negra y del cuerpo estriado (ver figura 3) que trabajan deficientemente. El efecto comienza a producirse al cabo de unos 30 a 60 minutos.

La causa de la enfermedad, sin embargo, no puede eliminarse. Por tanto, la terapia con levodopa no es de tipo causal, eliminando los factores que la desencadenan, de igual forma que el aporte de insulina al diabético tampoco produce su curación, sino que solamente evita la aparición de los síntomas que acompañan un exceso de azúcar en la sangre. Cuando los enfermos de Parkinson preguntan: «¿Durante cuánto tiempo deberé tomar estos medicamentos?», la respuesta del médico deberá ser: «¡Espero que durante toda su vida!»

Es posible que el paciente formule la siguiente pregunta: «¿No se crea dependencia hacia estos medicamentos? Se oye con frecuencia que es posible acostumbrarse a los medicamentos de tal forma que éstos ya no hagan efecto.» Entonces el médico deberá explicar al enfermo y a sus familiares el mecanismo por el cual la administración de levodopa produce sus efectos. Los pacientes que interrumpen la ingestión de levodopa por cualquier razón notarán antes de dos semanas que necesitan inevitablemente este medicamento, ya que ven cómo su motricidad empeora de forma importante durante este corto espacio de tiempo.

En 1966 se produjo un nuevo cambio de orientación al utilizarse también una sustancia inhibidora de la descarboxilasa. En la figura 4 se puede observar que la enzima descarboxilasa sintetiza dopamina a partir de la DOPA. En un principio, puede parecer incomprensible que una sustancia inhibidora de esta enzima pueda mejorar los síntomas de la enfermedad de

Parkinson. La respuesta a esta pregunta la dieron los resultados de las investigaciones llevadas a cabo por el Prof. Dr. A. Pletscher de Basilea, el cual pudo demostrar que esta sustancia inhibidora, la benseracida, bloqueaba la síntesis de levodopa a dopamina solamente en la periferia del organismo, pero que no penetraba en el cerebro. Este bloqueo periférico permite aumentar hasta 6 veces la dosis de levodopa en el cerebro, lo cual permite que se sintetice dopamina en mayores cantidades. Gracias al bloqueo de la síntesis de dopamina en la periferia (hígado, corazón, intestinos, etc.) desaparecen casi por completo los efectos secundarios del tratamiento exclusivo con levodopa.

Madopar (producido por la empresa Hoffmann-La Roche) es una combinación de benseracida (50 mg) y L-dopa (200 mg) (Madopar 250). En el mercado también se puede obtener la mitad de la dosis en forma de Madopar 125 y un cuarto en Madopar 62,5. La relación entre la benseracida y la L-dopa es siempre la misma, precisamente de 1:4. Estas dosis permiten que durante el tratamiento se incremente lentamente las cantidades de acuerdo con la tolerancia y el efecto que produzcan en el paciente.

Un segundo preparado es Sinemet, comercializado por la firma Dupont Pharma y que contiene carbidopa (25 mg) como sustancia inhibidora de la descarboxilasa y 250 mg de L-dopa. También se comercializa Sinemet Plus 25 mg/100 mg en comprimidos y Sinemet Retard 50 mg/200mg en comprimidos, esta última pudiéndose administrar con dosis nocturna.

En un estudio comparativo que fue realizado en nuestro Instituto de neuroquímica L-Boltzmann por el Dr. Podiwinsky (clínica) y el Prof. Dr. P. Riederer (bioquímica) entre Madopar y Sinemet, no se observaron diferencias notables en la efectividad de ambos preparados. De acuerdo con nuestra experiencia personal, Sinemet produce con mayor frecuencia efectos secundarios periféricos, tales como malestar y molestias gástricas. Sin embargo, ello no tiene mayor importancia, ya que la administración de carbidopa elimina estos efectos periféricos. La carbidopa no puede obtenerse como genérico en Europa. Sin embargo, los comprimidos de Sinemet pueden dividirse sin dificultad en cuatro partes para obtener dosis similares a las de Madopar 62,5.

La mejoría obtenida con este tratamiento combinado ha conducido, por el contrario, a un incremento de los efectos secundarios de tipo cerebral que serán comentados con mayor detenimiento en el capítulo dedicado específicamente a este tema. Aquí únicamente apuntaremos el hecho de que el aumento en la cantidad de L-dopa disponible en el cerebro empuja a la serotonina fuera de sus células nerviosas. Esta disminución de la sustancia fisiológica de la relajación provoca alteraciones del sueño, pesadillas, estados de excitación, ansiedad, en los casos extremos incluso confusión mental, alucinaciones y delirio. Cuando se hizo público que la L-dopa aleja a la serotonina de sus depósitos se intentó administrar triptófano, el precursor de la serotonina, en los casos de alteraciones leves.

La figura 5 muestra un esquema de la estructura de los neurotransmisores bioquímicos del sistema nervioso. Las aminas biógenas como la dopamina y la noradrenalina se sintetizan en las células nerviosas correspondientes a partir de sus precursores tirosina y DOPA. Las enzimas correspondientes que efectúan esta síntesis, son la tirosinasa y la dopaoxidasa. Los neurotransmisores biógenos se depositan en las células nerviosas en forma de vesículas (pequeñas ampollas). La monoaminooxidasa (MAO) (figura 6) elimina los neurotransmisores excedentes dentro de la célula. Con ello se conserva el equilibrio entre los distintos neurotransmisores.

Si se parte de la base que la tirosinasa no es lo suficientemente activa en la enfermedad de Parkinson, mientras que la monoaminooxidasa destruye e niveles normales los neurotransmisores biógenos dentro de la célula nerviosa, era lógico realizar un experimento en el cual se solucionase el déficit no solamente en dopamina, sino también en noradrenalina y serotonina, llevando a cabo el bloqueo de la monoaminooxidasa. Este tipo de experimentos ya se habían comenzado a realizar en el año 1961. Las sustancias inhibidoras de la monoaminooxidasa de que se disponía entonces conducían a una mejoría de la motricidad cuando se combinaban con L-dopa, pero producían numerosos efectos secundarios, como episodios de confusión mental, alucinaciones y delirios. Por estas razones, se interrumpió el tratamiento con estos preparados. En los años siguientes se pudo demostrar que existen diferentes tipos de monoaminooxidasa y diversas sustancias inhibidoras.

El farmacólogo húngaro J. Knoll descubrió una sustancia que bloqueaba exclusivamente la destrucción de la dopamina en la célula. El nombre de esta droga es deprenilo. En consecuencia, se probó este medicamento junto con los tratamientos con Madopar y Sinemet. Los primeros resultados fueron muy positivos y fueron confirmados por numerosos hospitales de todo el mundo. Ya en los primeros meses de tratamiento se observaba que la combinación de L-dopa con deprenilo era más eficaz que la de L-dopa únicamente. Se pudo demostrar que los enfermos que eran tratados durante más de 8 años con Madopar y que habían conseguido mejorar su capacidad de rendimiento motor en un 33 % aproximadamente, en los tres años siguientes presentaban una mejoría de hasta el 42 % tomando adicionalmente deprenilo (figura 7). Cuando se inician las fases de «on-off», la inclusión de deprenilo en el tratamiento con levodopa también ofrece buenos resultados, es decir, las fases del bloqueo pasajero del movimiento pueden eliminarse o reducirse en cuanto a duración temporal e intensidad administrando deprenilo. Naturalmente, este efecto se mantiene siempre que se haya conservado en número suficiente de células para permitir la sintetización de dopamina.

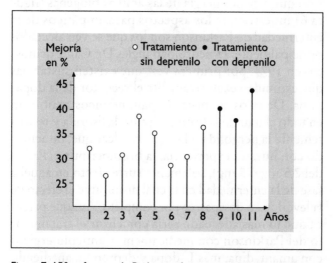

Figura 7: 150 enfermos de Parkinson fueron tratados durante 8 años con Madopar. La mejoría se cifraba en alrededor del 33 %. Al cabo de 8 años, se siguió un tratamiento adicional con deprenilo para los mismos pacientes Con ello se alcanzó una mejoría del 42 %. ○ = tratamiento sin deprenilo ● = tratamiento con deprenilo.

Dado que un neonato tiene unas 500.000 células nerviosas pigmentadas en la sustancia negra, el adulto unos 150.000 y el enfermo de Parkinson solamente dispone escasamente de 60.000, se supone que la reducción constante hace que progrese la degeneración. Finalmente, las células productoras de dopamina desaparecen por completo, una fase en la que la terapia con L-dopa o inhibidores de la descarboxilasa, con o sin deprenilo, es totalmente inútil. Un estudio aparecido hace pocos meses, y que ha sido muy discutido, afirma que los pacientes que han terminado el tratamiento con deprenilo presentan un mayor índice de mortandad.

Todavía queda por comentar una última etapa en el desarrollo terapéutico. El esquema de la transmisión química de energía de las aminas biógenas (figura 6) muestra que los aspectos parasimpáticos de la enfermedad de Parkinson son los que se ven afectados principalmente. El neurólogo inglés Dr. Calne demostró en 1974, por primera vez, que existen sustancias que estimulan exclusivamente el receptor de la dopamina. De estos agonistas dopaminérgicos se utilizan en todo el mundo la bromocriptina, la lisurida y recientemente la pergolida. Hay que recalcar que, de acuerdo con nuestra experiencia, la bromocriptina (Parlodel 2,5 mg ó 5 mg), solamente surte efecto en aquella fase de la enfermedad en la cual disminuye el efecto de la levodopa o desaparece por completo. Aunque parezca que lo más adecuado sería comenzar el tratamiento del Parkinson con medicamentos anticolinérgicos con amantadina, más L-dopa y deprenilo, añadiendo desde el principio Parlodel, no ha demostrado ser eficaz en absoluto. Los efectos secundarios de la medicación normal con levodopa se ven fuertemente intensificados con Parlodel sin que se produzca una mejoría de la capacidad de rendimiento motor. Por tanto, la administración de Parlodel solamente ofrece buenos resultados en aquellas fases de la enfermedad en las cuales disminuye de forma importante la efectividad de la L-dopa o incluso desaparece.

Sin embargo, es sorprendente que los enfermos que habían perdido completamente la movilidad y que ya no reaccionaban a la medicación con DOPA, respondían por término medio con una mejoría del 20 % de su rendimiento casi perdido por completo gracias al tratamiento con Parlodel. Una respuesta similar se observa frente la amantadina, como también frente a la lisurida y la pergolida.

Queremos precisar nuestras experiencias, afirmando que alrededor del 30 % de los enfermos en fase terminal responden bien al Parlodel y muestran una clara mejoría. En el resto predominan los efectos secundarios, en especial la hipotensión, pero también las hipocinesias y los trastornos psíquicos (confusión, alucinaciones). Estos efectos secundarios requieren una reducción en la dosis del medicamento. En principio, debe procederse con el Parlodel de igual forma como con el L-dopa: al principio las dosis deben ser bajas, situándose en medio comprimido de Parlodel 2,5 mg 3 veces al día, aumentándola gradualmente hasta alcanzar los 10 mg en 6 tomas diarias. La dosis de levodopa puede reducirse correspondientemente hasta llegar a tomar Madopar 125 3 veces al día o medio comprimido de Sinemet 3 veces al día. Si al reducirse la dosis de levodopa no se observa una pérdida de la capacidad de rendimiento, puede eliminarse por completo.

En un estudio con años de seguimiento se pudo demostrar que los pacientes que tomaban una combinación de Madopar y Parlodel (=bromocriptina) morían con menos frecuencia a causa de las complicaciones cardíacas que aquellos pacientes de Parkinson que recibían dosis más altas de L-dopa sin otra medicación. La pergolida también es un agonista de los receptores dopaminérgicos con un efecto de larga duración.

La administración de lisurida, un agonista dopaminérgico utilizado desde hace tiempo, debe comenzarse con medio comprimido y aumentar la dosis lentamente en medio comprimido hasta alcanzar una dosis máxima de 3-6 comprimidos por día.

El fármaco Tergurid tiene un efecto similar al del Dopergin. Tienen un efecto antiparkinsonismo menos potente pero provoca mínimos efectos secundarios y aparentemente, evita la aparición de psicosis. Lamentablemente, solamente está disponible en el mercado de Chequia bajo el nombre Mysalfon 0,5 mg.

La medicación básica la constituye el sulfato de amantadina (Amantadina Llorente o Amantadira Juventus), en comprimidos de 100 mg, un medicamento para el tratamiento del Parkinson fiable que provoca pocos efectos secundarios y que, sobre todo, no produce hipercinesia.

Tratamiento de los trastornos motores

Los bloqueos del movimiento transitorios y de una duración de pocas horas se denominan fases «on-off». Cuando la duración temporal de estos bloqueos totales de la movilidad persisten durante todo un día o varias semanas se utiliza el término de «crisis acinéticas» (Danielczyk).

Estas crisis acinéticas son, concretamente, un síntoma de un estadio avanzado de la enfermedad. Los enfermos no pueden ni tan siquiera darse la vuelta en la cama, no pueden tragar ni hablar, de forma que se hace necesario un tratamiento con suero. Estos sueros deben utilizarse diariamente. La primera vez que se produce una crisis acinética de este tipo, normalmente es posible solucionar por completo el bloqueo del movimiento.

El Prof. Dr. Riederer pudo demostrar, en el Instituto Boltzmann de Neuroquímica de Viena, que la sustancia negra de las personas sanas contiene más de 3.000 nanogramos de dopamina en el estriado. Los enfermos de Parkinson que han fallecido en el transcurso de su enfermedad de una gripe o una crisis cardíaca, todavía tenían 300 nanogramos y los enfermos fallecidos a causa de una crisis acinética solamente entre 5 y 10 nanogramos. A la vista de estos resultados se deduce que, como consecuencia de la atrofia celular, se produce una interrupción total en la síntesis de dopamina, que tiene como consecuencia la absoluta incapacidad para realizar movimientos activamente. Tanto los enfermos como sus familiares deben estar informados de que deben evitarse todo tipo de esfuerzos, como los viajes, pero también los sobreesfuerzos motores y las infecciones comunes ya que, según se sabe por experiencia, una crisis acinética puede producir la muerte.

Nos parece imprescindible recalcar este aspecto, en vista de la frecuencia con que los pacientes que se encuentran en una crisis acinética o sus familiares expresan su deseo de acudir a un sanatorio especial o pasar un tiempo en un lugar con un determinado clima. Todo cambio constituye un factor estresante para el paciente y debe evitarse ante todo.

Tratamiento de los trastornos vegetativos

El tratamiento de los síntomas de tipo vegetativo, como salivación, sudores y seborrea, pueden compensarse suficientemente a través del uso de medicamentos anticolinérgicos. Los más eficaces son Akinetón retard 5 mg (2 veces al día) y Cisordinol (3 veces al día medio comprimido hasta uno entero). Todos los medicamentos anticolinérgicos tienen como efecto secundario la sequedad de boca, que el paciente debe aceptar si nota una mejoría de sus dolencias. La sequedad de boca puede neutralizarse perfectamente mascando chicle o comiendo caramelos.

Tal y como se ha comentado anteriormente, el enfermo de Parkinson no tolera bien el calor. Los procesos físicos por los cuales debería perder calor corporal están afectados por la carencia en serotonina y la resultante dilatación insuficiente de los vasos sanguíneos. Cuando el ambiente es caluroso, sobre todo en verano, pero también cuando el enfermo se encuentra en habitaciones excesivamente caldeadas, el malestar puede ser importante. Cuando el enfermo tenga estas molestias, se recomienda la administración de 125 ó 250 mg 3 veces al día de L-triptófano junto con la medicación habitual. En los meses de verano produce una sensación agradable en el enfermo.

Un síntoma vegetativo que aparece con bastante frecuencia son los edemas en los tobillos. Esta inflamación no tiene ninguna relación con una afección cardíaca, sino que solamente es el efecto, según nuestra opinión, de la liberación de serotonina en la periferia producida por el L-dopa pero también por la amantadina. Sin embargo, cuando el tratamiento con contiene levodopa o amantadina, puede constituir un síntoma de un sistema parasimpático hiperactivo. En los inicios puede observarse una mejoría administrando triptófano (3 veces al día 500 mg). Con ayuda de diuréticos como Seguril se puede conseguir la desaparición de los edemas.

Sin embargo, cuando los edemas son duros y ásperos no se pueden eliminar. Un masaje a base de rozamientos superficiales les produce una sensación agradable a los enfermos. Hay que tener en cuenta que estos edemas subjetivamente no ocupan un lugar central en el cuadro patológico ya que no producen dolor y conllevan una limitación de las capacidades funcionales.

Tratamiento de los trastornos psíquicos

El tratamiento de los trastornos psíquicos funcionales debe introducirse en aquellas fases depresivas que aparezcan en el curso de la enfermedad. En primer plano se sitúan los síntomas de pérdida de vitalidad, junto con un estado de ánimo pesimista con numerosas quejas de naturaleza hipocondríaca, alteraciones del sueño, ansiedad y desorientación. Suponemos que la causa se centra en el desequilibrio dentro del sistema de neurotransmisores bioquímicos y que afecta a diferentes regiones cerebrales.

El tratamiento antidepresivo debe regirse de acuerdo con los síntomas principales, por ejemplo, estudiando si el enfermo presenta debilidad por la mañana, situación en la cual la medicación consistirá, ante todo, en drogas antidepresivas activadoras, como Tofranil (2 veces al día 10-25 mg). El tratamiento antidepresivo con dosis de 20 mg de aeroxat por la mañana produce pocos efectos secundarios. La combinación de antidepresivos con inhibidores de la MAO, como el deprenilo, está contraindicada. Seroxat no debe ser administrado junto con triptófano. Entre la interrupción del tratamiento con antidepresivos y el inicio de la administración de inhibidores de la MAO debería observarse un período de espera de 3 semanas.

Si el paciente está dominado por intranquilidad, ansiedad e insomnio deberán serle administrados antidepresivos de acción sedante, por ejemplo Tryptizol (3 veces al día 10 mg), o bien deprelio (con la misma dosificación). Cuando los estados de ansiedad e intranquilidad sean severos y estén acompañados de insomnio y sueño intranquilo, al paciente se le administrará Divial Valium (5 mg) o Lexatín (3 mg). Normalmente, la medicación antidepresiva se suele seguir a dosis bajas durante varios años. Los síntomas negativos de tipo motor no se ven influidos prácticamente en nada por ello. La interrupción de su administración solamente se aconseja en los casos de dolencias cardíacas (palpitaciones, arritmias, sensación de opresión en la región pericardíaca).

Un tratamiento adicional a base de medicamentos antidepresivos que se extienda durante años permite que el estado de los pacientes sea mucho más equilibrado, lo cual no solamente confirman los enfermos mismos, sino también su entorno.

El síntoma negativo consistente en la mayor lentitud de pensamiento (bradifrenia) depende de la extensión de la atrofia cerebral. Los pacientes con un curso de la enfermedad favorable no la muestran al exterior, mientras que los cursos malignos la bradifrenia es tan marcada que el profano la suele asociar a otros procesos degenerativos, como la arteriosclerosis. La muerte de las células cerebrales no se puede hacer reversible por medio de ningún tratamiento.

Pero la actividad de las células supervivientes se puede mejorar con determinados medicamentos con el fin de conseguir un aumento del rendimiento intelectual. Un tratamiento que se extienda durante meses permite que la capacidad para el pensamiento se acelere y se disponga de una mejor capacidad para juzgar y de crítica. Las capacidades conservadas pueden entonces ser puestas en la práctica con mayor rapidez y amplitud. La reacción más rápida frente a las cuestiones del entorno es valorada muy positivamente por el personal asistencial o los familiares, para los cuales supone una enorme molestia repetir las preguntas varias veces antes de obtener respuesta. Se consiguió una activación psicosomática en 60 pacientes del Departamento de Neurología de la Residencia de Lainz, con una medicación consistente en 10-30 mg de memantina, un preparado a base de amantadina comercializado en Alemania.

Consejos prácticos para aplicar el tratamiento medicamentoso

Tratamiento de los casos leves

Cuando existe una reducida limitación del movimiento (una pérdida del 20 %), generalmente se comienza por:

Madopar 62,5 (1 cápsula 3 veces al día) o
Sinemet ($^1/_4$ tableta 3 veces al día o
1 comprimido de Amantadina 2 veces al día.

Si el éxito obtenido no es satisfactorio se incrementará la dosis de:

Madopar 125 (2 veces al día, por la mañana y al mediodía) o
Sinemet (3 veces al día $^1/_2$ comprimido) añadiendo
Deprenilo (5 mg una vez al día). También es posible:
3-4 veces al día 1 comprimido de Amantadina
También es posible una combinación de Madopar

o Sinemet con Amantadina, como también con Deprenilo.

Esta dosificación suele ser aplicable en la mayoría de los casos durante años (2-5 años).

Tratamiento de casos de gravedad media

Los pacientes que presentan una pérdida de la movilidad del 30 al 60 %, pero que siguen estando capacitados para lavarse y vestirse por sí mismos, pero que tienen dificultades para andar, ponerse en pie, comer y en trabajos manuales, la dosis se incrementará de la siguiente forma:

Madopar 125 (4 cápsulas diarias) o bien
Sinemet (3 veces al día un comprimido) junto con Deprenilo (2 comprimidos de 5 mg diariamente).

En algunos casos, se puede añadir un tratamiento a base de amantadina, con 4-6 comprimidos de Amantadina diarios.

Estos pacientes suelen estar incapacitados desde el punto de vista laboral, pero siguen estando en disposición de realizar sus cuidados personales sin ayuda. Muchos de estos pacientes pueden moverse durante 3 ó 4 horas después de tomar una cápsula de Madopar por la mañana. Después de la comida se produce el conocido bloqueo de los movimientos. Al inicio de la aparición de estos bloqueos del movimiento, normalmente es posible hacer desaparecer este efecto con un comprimido de Deprenilo. Si no es posible, el paciente deberá permanecer sentado o acostado durante esta fase hasta que recupere espontáneamente la movilidad.

Los pacientes describen la vuelta del movimiento activo de una forma muy plástica: «La fuerza fluye en el cuerpo desde la cabeza hasta los pies y entonces se nota que es posible volver a ponerse en pie».

De acuerdo con los últimos conocimientos, la aparición de estas fluctuaciones en cuanto a la movilidad puede reducirse de forma clara cuando se combina en las primeras fases la levodopa con agonistas dopaminérgicos tales como Dopergin, Parlodel (Pharken), pero también con Amantadina.

Sin embargo, algunos pacientes se sienten muy mal especialmente por la mañana y únicamente pueden hacer uso de una movilidad normal por la tarde. A estos pacientes se les administrará:

> *Madopar* 250 (una cápsula por la mañana y otra al mediodía) o bien
> *Sinemet* (un comprimido por la mañana y otro por la tarde), junto con
> Deprenilo (1 comprimido de 5 mg por la mañana) o bien 2-3 comprimidos de Amantadina por la mañana.

> Por la noche, es suficiente con administrar a estos pacientes Madopar 125 o Sinemet retard.

El ritmo de actividad que se ha descrito se corresponde a la típica remisión durante la tarde de las depresiones endógenas. Por este motivo, los pacientes toman por la tarde solamente una pequeña dosis o la eliminan por completo por la noche.

En los meses calurosos de verano, la hipersensibilidad al calor de estos pacientes se puede prevenir con:

> *L-triptófano* (125-250 mg , 3 veces al día).

Este tratamiento adicional hace que los enfermos se sientan considerablemente mejor de estado general. Sin embargo, este medicamento no influye sobre la limitación de movimientos.

Con este tratamiento combinado se consigue una mejoría de los síntomas en un 20 % durante 5 a 7 años.

Tratamiento de los casos severos

En el caso de los casos severos que presentan una pérdida del rendimiento del 60 al 90 %, se comienza administrando Parlodel (2,5 mg por día), aumentando la dosis de acuerdo con la tolerancia del enfermo en medio comprimido hasta haber conseguido la dosis óptima de 3-4 veces al día 10 mg. También se puede administrar Dopergin 0,2 mg, comenzando con medio comprimido, siendo posible incrementar más rápidamente la dosis hasta llegar a 1-2 mg por día.

Se recomienda reducir al mismo tiempo la dosis de levodopa, pasando a tomar, por ejemplo, 5 veces 125 mg de Madopar en lugar de 3 veces diarias 250 mg de este medicamento. La dosis de Amantadina debería alcanzar los 5 ó 6 comprimidos diarios.

El tratamiento de las crisis acinéticas con sueros que contengan Amantadina ya se ha comentado. Cuando el tratamiento es estacionario existe la posibilidad de utilizar apomorfina en el suero.

Como es lógico, durante las crisis acinéticas no debe descuidarse la atención al enfermo. Cambiando al mismo de postura con frecuencia (acostarle sobre el costado derecho o izquierdo alternativamente) se debe prevenir la aparición de las heridas de decúbito. Mediante la utilización de un catéter se controlará la emisión de orina para que no se produzcan infecciones a causa de la retención de orina.

Los masajes pueden ser útiles para aliviar las contracturas dolorosas. El tratamiento de esta grave complicación es competencia de un departamento específico. Cuando se han agotado las posibilidades medicamentosas y, a pesar de ello, no se consigue ninguna mejoría o incluso se observa uno de los efectos secundarios, es preciso sopesar la necesidad de una intervención quirúrgica. Se obtienen éxitos espectaculares en los casos en los cuales se han implantado electrodos de estimulación en la región del troncoencéfalo por el Dr. Alesch de la Clínica Universitaria de Neurocirugía de Viena. Es preciso seguir una estrecha colaboración con los neurólogos también después de la operación, por ejemplo, con el equipo de la Clínica Paracelsus de Viena.

Nuevos aspectos del tratamiento medicamentoso

Por principio, existen dos tipos de tratamiento

1. Una sustitución del neurotransmisor dopamina, cuya cantidad es deficiente, mediante su precursor L-dopa.
2. Tomando medidas adicionales para aprovechar de forma óptima la dopamina sintética.

Ya que no existe una sustancia mejor para sustituir la síntesis de dopamina que utilizando L-dopa, en todo paciente de Parkinson se comienza con dosis bajas (Madopar 62,5, 2 veces al día medio comprimido, Sinemet 250 mg, 2 veces al día un cuarto de comprimido). Las dosis más altas producen mejoras en los efectos cinéticos, pero los efectos secundarios son frecuentes, tales como crisis hipercinéticas (movimientos excesivos), alucinaciones, ansiedad, alteraciones del sueño, fases de «on-off» (fases de bloqueo de los movimientos) y fluctuaciones del rendimiento. Ya en las primeras fases de la enfermedad es necesario utilizar L-dopa, pero en dosis bajas.

Sin embargo, se obtienen buenos resultados complementando el tratamiento con otros medicamentos, los cuales actúan a otros niveles y producen una mejoría adicional de las actividades motoras.

Una sustancia muy utilizada es la amantadina. Tiene la ventaja de no producir discinesia (descoordinación de los movimientos voluntarios). Wesemann ha demostrado, que por medio de la amantadina es posible aumentar la permeabilidad de la membrana neural, con lo cual los neurotransmisores penetran con mayor facilidad en la unión sináptica.

Riederer y colaboradores explicaron la efectividad de esta sustancia en base a su potencial antiglutaminérgico y la consiguiente mejora del equilibrio de la levodopa.

Otra sustancia coadyuvante muy efectiva es el deprenilo. Se trata de un medicamento que bloquea la destrucción de la dopamina, lo cual incrementa las reducidas cantidades en dopamina. Ello permite mejorar la movilidad a pesar de mantener igual la dosis de L-dopa. Los estudios realizados sobre la selegilina durante largo tiempo han demostrado que se prolonga la duración de la enfermedad, reduciendo el número de fluctuaciones a lo largo del día. La dosis diaria no debe sobrepasar los 3 comprimidos (comercializado en España bajo el nombre de Plurimen).

En la actualidad se está estudiando otro preparado que tiene como base la lisurida, denominado la transdihidrolisurida (TDHL) o tergurida. Se trata del primer agonista parcial de la dopamina que tiene en parte efectos estimulantes y en parte inhibidoras sobre los receptores dopaminérgicos. En comparación a todos los demás agonistas dopaminérgicos, la tergurida produce claramente menos efectos secundarios. Es especialmente adecuada en los estadios finales de la enfermedad utilizada como medicación complementaria cuando se ha reducido la medicación básica a base de levodopa o amantadina.

> Un comprimido contiene 0,25 mg de tergurida. También en este caso debería comenzarse con medio comprimido, pero esta dosis puede aumentarse con mayor rapidez que en otros preparados. Se aumentará cada 3 días en medio comprimido hasta alcanzar los 3-6 comprimidos diarios.

Los fenómenos psicóticos tan desagradable y frecuentes, que dificultan la vida cotidiana de aquellos pacientes que sufren la enfermedad desde hace tiempo o son de edad avanzada y limitan las posibilidades terapéuticas, aparecen con mucha menos frecuencia cuando se sigue un tratamiento con tergurida.

En ocasiones es posible que los pacientes no muestren mejoría con los tratamientos coadyuvantes y sí frente a la simple L-dopa. Entonces debería intentarse eliminar un medicamento, por ejemplo, Plurimen o Deprenilo durante 4 ó 6 semanas. Si el nivel objetivo del rendimiento no disminuye se podrá eliminar por completo esta medicación adicional.

El agonista dopaminérgico más potente de que se dispone en la actualidad pero que solamente debe administrarse como tratamiento coadyuvante, es la pergolida (Pharken). A causa de los efectos secundarios que produce solamente debe comenzar con dosis mínimas de 0,05 mg al día y aumentarlas lentamente durante semanas hasta alcanzar la máxima dosis de 1 mg 1-3 veces día. Los medicamentos que inhiben la destrucción de la levodopa, los denominados inhibidores COMT serán comercializados en breve y ayudarán a reducir los efectos secundarios dopaminérgicos,

P. Riederer ha demostrado que en los pacientes de Parkinson está considerablemente reducida la actividad de la tirosinasa, la enzima principal en la sintetización de DOPA.

El oxígeno en la célula puede provocar neurosis en las personas ancianas y en el parkinsonismo (formación de superóxido). Al parecer, las vitaminas E y C protegen a las células degeneradas ya que estas vitaminas actúan como captadores de radicales libres.

Desde hace varios años, W. Birkmayer estudia la forma de que el medicamento NADH, una coenzima de la tirosinasa, cruce la barrera hematoencefálica. Los resultados terapéuticos son excelentes (Instituto Birkmayer, Viena).

De acuerdo con las resultados obtenidos hasta el momento por Birkmayer, el tratamiento coadyuvante con NADH produce pocos efectos secundarios y constituye una terapia complementaria muy beneficiosa. El aspecto más positivo es la reducción de la dosis de L-dopa. NADH puede utilizarse desde hace algún tiempo en cápsulas (una a tres cápsulas semanales máximo, con el estómago vacío, una hora antes del desayuno, debe tomarse con agua). Lamentablemente, este medicamento aún no se encuentra en el mercado.

Las fases depresivas constituyen un capítulo aparte en el tratamiento médico y aparecen años antes de los primeros síntomas evidentes de Parkinson. Desde el punto de vista sintomático no se diferencia en modo alguno de las fases depresivas endógenas. En algunas ocasiones se observan síntomas enmascarados, como alteraciones del sueño, pérdida del apetito y de peso, estreñimiento, pérdida de la libido, etc.

Los intentos de suicidio se producen con muy poca frecuencia. El médico puede reconocer con facilidad las fases depresivas cuando el enfermo de Parkinson, a pesar de su acinesia tolerable y temblor moderado, presenta un aspecto depresivo y manifiesta signos depresivos. La terapia es muy sencilla:

Por ejemplo, por la mañana antidepresivos que estimulen al paciente y por la noche Deprelio junto con la medicación para el Parkinson.

Breve esquema de tratamiento para los pacientes

1. Principio: Siempre hay que administrar la dosis óptima, nunca la máxima, es decir, la dosis de medicamentos no debe ser superior a la que puedan asimilar las células correspondientes. La dosis no debe tener el efecto de un latigazo ni dañar por ello, a largo plazo, las células sintetizadoras de dopamina en lugar de beneficiarlas. Las hipercinesias siempre deberán ser tratadas primeramente mediante una reducción de las dosis y no aumentando la administración de dosis sedantes.

2. La droga más efectiva durante estos últimos 30 años han sido Madopar y Sinemet. Ambos preparados contienen además de L-dopa (precursor del neurotransmisor dopamina) una sustancia inhibidora de la descarboxilasa (una enzima que sintetiza el neurotransmisor dopamina a partir de la DOPA). Esta sustancia inhibidora (la benseracida o carbidopa) evita que en la periferia se sintetice dopamina, dado que no cruza la barrera hematoencefálica. Gracias a esta inhibición en la periferia, la cantidad de L-dopa para la síntesis de dopamina en el cerebro es mayor y no se observan efectos secundarios periféricos.

3. Los preparados con contenido en amantadina son recomendables en todos los estadios de la enfermedad en vista a la relación entre efecto terapéutico y efecto secundario, sobre todo cuando existe una intolerancia frente a la L-dopa. En las crisis acinéticas puede salvar la vida del enfermo cuando se administra mediante suero. Recientemente se han comenzado a estudiar en mayor profundidad los fundamentos científicos para explicar los efectos beneficiosos (P. RIEDERER).

4. Junto a estos preparados estándar existen numerosos medicamentos adicionales que producen no un aumento directo de la producción de la dopamina, sino una mejor disponibilidad de este neurotransmisor. La bromocriptina (Parlodel) estimula, al igual que el Dopergin y la pergolida, los receptores postsinápticos. Actúan a modo de antenas receptoras de la dopamina, transmitiendo la energía química hacia el músculo. Mediante la sensibilización de estos elementos se mejora el movimiento incluso con dosis mínimas de dopamina. Si la dosis es excesiva se puede producir hipotensión, lo cual hace que el enfermo sufra vértigo. En los casos extremos, la tensión arterial puede disminuir tanto que el paciente pierda el sentido durante un breve espacio de tiempo. Las sobredosis provocan contracturas musculares y movimientos anormales involuntarios (hipercinesias). La reducción de la dosis puede eliminar estos efectos secundarios.

5. Si en la célula nerviosa existe un exceso en dopamina, será anulada mediante la monoaminooxidasa del tipo B. Un inhibidor químico, el deprenilo, inhibe la actividad de la MAO-B. Con ello aumentan los niveles de dopamina y noradrena-

lina en las células nerviosas, con el consiguiente aumento de la actividad funcional.

6. No existe un medicamento eficaz completamente para hacer desaparecer el molesto temblor de los enfermos de Parkinson. Todos los medicamentos anticolinérgicos, como Akinetón, Cisordinol, Tremaril, pueden amortiguar el temblor, pero producen como efecto secundario una molesta sequedad de boca. Para la salivación, frecuente entre los pacientes de Parkinson, los medicamentos anticolinérgicos son muy efectivos. En los casos leves, es suficiente administrar temporalmente un tranquilizante (Lexatín, Divinal, Donix). El único método para eliminar por completo el temblor del parkinsonismo es la operación estereotáctica. De acuerdo con nuestra experiencia, esta intervención del cerebro es un factor que influye, en general, negativamente sobre la enfermedad. Es mejor la estimulación eléctrica.

7. El parkinsonismo y la depresión presentan una combinación de síntomas relativamente frecuente. Los neurotransmisores (dopamina, glutamato, noradrenalina, serotonina) se encuentran en un equilibrio dinámico en el cerebro de la persona sana. En situaciones normales, este equilibrio se mantiene mediante mecanismos de *feedback*. Cuando se producen alteraciones vegetativas de tipo afectivo (desánimo, tristeza, fatiga, falta de empuje) se recomienda administrar antidepresivos con un efecto estimulante (Tofranil, Anafranil, Manerix). Si el enfermo muestra ansiedad y un aumento de la sensibilidad frente a los estímulos sensoriales (síntomas hiperestésicos, sofocos, palpitaciones) deben administrarse antidepresivos sedantes que amortigüen estos fenómenos.

8. Sobre todo en el caso de las personas de edad avanzada y que sufren la enfermedad desde hace años, se observa una especial pérdida de la memoria y una disminución general del rendimiento físico. Se trata de síntomas parecidos a los del Alzheimer, para los cuales al principio se puede administrar Nootropil. Una dosis excesiva no es recomendable ya que la hiperactividad mental puede provocar un empeoramiento del movimiento.

Todo enfermo de Parkinson debería conocer estos puntos tan importantes por boca de su médico con el fin de que tenga una orientación cuando aparezcan estos problemas.

Un nuevo paso adelante en el tratamiento de la enfermedad de Parkinson se dio al iniciarse la administración de NADH (ver figura 8). La causa directa de la carencia de dopamina en el cerebro es el bloqueo en la síntesis producido entre el aminoácido tirosina y la DOPA. La enzima que activa esta fase es la tirosinasa, cuya actividad en un enfermo de Parkinson se haya reducida en un 80 %. Cuando está bloqueada la síntesis de DOPA por la tirosinasa no se produce dopamina. La reducción en los niveles de este neurotransmisor es la causa de la aparición de los síntomas del Parkinson. Ya que la tirosinasa no cruza la barrera hematoencefálica , la sustitución de esta enzima no tiene ningún efecto desde el punto de vista clínico. Un precursor de esta enzima (la tetra-hidro-biopeterina) tampoco puede superar la barrera hematoencefálica y, en consecuencia, no tiene ningún efecto terapéutico. Las sustancias NADPH y NADH como precursores de la sustancia citada, sí que pueden penetrar a través de la barrera y son muy eficaces, tal y como lo ha demostrado uno de los autores

(W. Birkmayer) de la experiencia recogida con más de 2.000 pacientes del Instituto Birkmayer.

Sin embargo, puede formularse la siguiente regla neurológica general: cuanto más efectivo sea un medicamento, su sobredosis producirá efectos secundarios con mayor rapidez e intensidad. Esta regla también es aplicable para el NADH; las dosis excesivas de esta sustancia provocan contracturas musculares y fases «off» más intensas y prolongadas. Lamentablemente, como ya se ha comentado, el NADH aún no puede utilizarse en todos los enfermos.

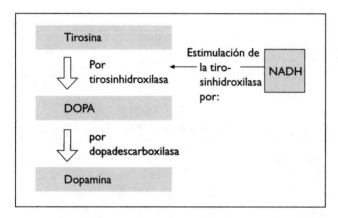

Figura 8: Esquema de las enzimas sintetizadoras y destructoras de los neurotransmisores principales.

Efectos secundarios del tratamiento medicamentoso

Cuanto más efectivo es un medicamento, deberá contarse con la aparición de más efectos secundarios (la tabla 4 ofrece una visión general de los efectos secundarios). En la persona sana, el efecto de un medicamento provoca una neutralización mediante los denominados mecanismos de retroalimentación *(feedback)*. Por esta razón, en las personas sanas que han ingerido L-dopa, por ejemplo, no se manifiestan movimientos anómalos involuntarios (hipercinesia) ni tampoco psicosis. La capacidad deficiente o pérdida por completo para neutralizar los efectos secundarios con los mecanismos de *feedback* constituye la característica determinante de la enfermedad de Parkinson.

El efecto terapéutico de las drogas anticolinérgicas (Colircusí Atropina, Akinetón, Artane, etc.) es, como ya se ha comentado antes, relativamente limitado y afecta ante todo al temblor y a las contracturas musculares. También los síntomas de parkinsonismo provocados por las drogas neurolépticas (medicamentos contra la esquizofrenia) desaparecen con la administración de medicamentos anticolinérgicos. Los efectos secundarios de estos medicamentos son relativamente leves, estando en primer término la sequedad de boca y una mayor incidencia del estreñimiento entre los enfermos de Parkinson. Los trastornos de la micción aparecen en raras ocasiones y casi exclusivamente en los pacientes masculinos con un adenoma de próstata. En estos casos debe reducirse la dosis o colocarse un catéter fijo. Dado que los medicamentos anticolinérgicos provocan una parálisis del músculo que reduce la pupila se produce alteraciones en la acomodación del ojo, es decir, el paciente no ve con claridad desde cerca. En los pacientes con glaucoma , la dilatación de la pupila puede provocar un bloqueo del drenaje del ojo. Si la dosis es la adecuada, estas complicaciones aparecen con poca frecuencia. Si la dosis de medicamentos anticolinérgicos es excesiva, sobre todo si se combinan con L-dopa, puede producirse estados de confusión, ansiedad, excitación y alucinaciones. Muchas veces es suficiente con interrumpir la administración de los medicamentos anticolinérgicos para conseguir que desaparezcan los síntomas psicóticos.

Tabla 4: Lista de medicamentos que pueden ser utilizados para el tratamiento de los efectos secundarios

Efectos secundarios	Medicamentos
Malestar, náuseas, vómitos	Aero plus, Motilium o Domperidona
Estreñimiento	L-Triptófano, sustancias vegetales, Dulcolaxo
Sequedad de boca	Caramelos, chicle, L-Triptófano
Micción imperiosa (polaquiuria) Molestias cardíacas	Sarotén o Tryptizol

Efectos secundarios	Medicamentos
Tensión baja en posición erecta (hipotensión ortoestática)	Efortil
Vértigos	Torecán
Movimientos anómalos involuntarios (hipercinesia)	Tiaprizal Lexatín
Prevención de la excitación	Trasicor Valium Lexatín Donix
Contracturas (espasmos)	Valium Lexatín Donix o Divial
Alteraciones del sueño	L-Triptófano Donix o Divial Deprelio, Tryptizol Valium Lexatín Mogadón
Depresión	Tryptizol Deprelio Seroxat Manerix 100 mg
DOPA-psicosis (psicosis farmacotóxicas)	L-Triptófano Leponex (atención al análisis de sangre)

También la amantadina produce unos efectos secundarios similares, tales como sequedad de boca, estreñimiento, edemas en los tobillos y una piel que presenta numerosas venas azuladas (cutis marmóreo). En dosis altas pueden observarse estados de confusión, sobre todo si el paciente es de edad avanzada.

La medicación con L-dopa tienen una gran eficacia en un principio, sin embargo produce numerosos efectos secundarios, que son producidos por la desaparición de los mecanismos de regulación, tal y como se ha comentado anteriormente. El avance en la degradación de las células nerviosas de la sustancia negra no puede evitarse con la L-dopa. Solamente puede reducirse la rapidez de su avance administrándose dosis muy bajas del medicamento. En el curso del tratamiento también mueren numerosas células sintetizadoras de dopamina. En consecuencia, debe disminuirse la dosis de L-dopa a medida que transcurre el tiempo de tratamiento. En realidad, este fenómeno es paradójico, ya que el agravamiento de la enfermedad requiere la reducción de la dosis del medicamento y no su aumento. Incrementar la dosis de L-dopa al inicio de la enfermedad produce una mejoría de los síntomas, sin embargo, en los estadios más avanzados de la misma, solamente provoca efectos secundarios. Ello es debido al hecho de que las dosis excesivas de L-dopa empujan los demás neurotransmisores biógenos, como la serotonina y la noradrenalina, fuera de sus depósitos. Igual que la carencia de dopamina altera el equilibrio entre la acetilcilina y la dopamina en favor de la primera, lo cual tiene como resultado una mayor lentitud del movimiento (acinesia), el exceso en dopamina, consecuencia del aporte de L-dopa, provoca una movilidad excesiva (hipercinesia). A causa del defecto estructural en la sustancia negra, el cerebro de la persona afectada de parkinsonismo no está en disposición de neutralizar la deficiencia o el exceso de neurotransmisores químicos mediante mecanismos de retroalimentación. Este fenómeno, que se podría denominar de competición entre los distintos neurotransmisores bioquímicos (dopamina, noradrenalina, serotonina, glutamina, entre otros), no solamente se desarrolla en el cerebro, sino que estos procesos de eliminación y liberación también existen en la periferia del organismo. Por tanto, puede distinguirse entre efectos secundarios periféricos y centrales.

Durante el tiempo en que el tratamiento se realizaba con L-dopa exclusivamente y se administraba por vía oral, los efectos secundarios más frecuentes eran malestar, náuseas y vómitos. Se había especulado con la posibilidad de que los vómitos aparecieran como consecuencia de la estimulación del centro responsable situado en el troncoencéfalo. A nosotros nos parece más probable que el responsable sea un mecanismo periférico en el estómago. En el estómago, la L-dopa expulsa la serotonina de las células nerviosas. La serotonina estimula el sistema nervioso parasimpático. La hiperestimulación del nervio vago produce las náuseas y los vómitos. La ventaja de los preparados con otras sustancias, como los productos Madopar y Sinemet consiste en que este efecto desaparece casi por completo. Sin embargo, determinados pacientes no solamente vomitan a causa de la L-dopa pura, sino también al ingerir Madopar y Sinemet. De acuerdo con nuestra experiencia, en la actualidad es más conveniente administrar Aero plus, un medicamento que paraliza el nervio vago, juntamente con L-dopa. Los efectos que aparecen al iniciarse el tratamiento con levodopa, como los vómitos, suelen desaparecer al cabo de unas semanas.

El agravamiento del estreñimiento ya existente producido por la L-dopa, también es un efecto secundario del Madopar y Sinemet. En los casos leves se administra L-triptófano (3 veces al día 250 mg). A partir de este precursor, la célula nerviosa sintetiza serotonina, que es el neurotransmisor fisiológico responsable de la peristalsis intestinal.

Un registro sistemático de los efectos secundarios de la terapia con levodopa recogidos a lo largo de 15 años en 1.414 enfermos de Parkinson ha demostrado que en un 2,5 % de los casos se observan efectos secundarios que afectan al tracto digestivo.

Los efectos secundarios sobre el tracto urinario se manifiestan en forma de retención de orina o urgencia miccional. Estos pacientes perciben, por ejemplo durante la noche, 20 veces urgencia miccional y la necesidad de orinar. Las esposas ayudan a sus maridos a levantarse, le llevan con dificultad hasta el lavabo, donde el paciente no orina nada en absoluto o solamente unas pocas gotas. En cuanto se acuesta de nuevo, este proceso se repite. En estos casos es de ayuda administrar un antidepresivo tricíclico, como Tofranil (25 mg), Tryptizol o Deprelio (25 mg).

Dado que los pacientes con Parkinson toleran muy mal las operaciones a causa de la anestesia y del estrés que conlleva una intervención quirúrgica, el neurólogo debe sopesar cuidadosamente la indicación para una operación. Por esta razón, les insistimos mucho a nuestros pacientes que nos informen antes de cualquier operación propuesta por otro médico. Si la intervención quirúrgica es inevitable, debería realizarse bajo anestesia local o epidural en la medida de lo posible. Unos días antes y después de la operación deben administrarse sueros de Amantadinas Llorente o Juventus. Los preparados a base de L-dopa deben dejar de administrarse unas 24-48 horas antes de que el paciente sea anestesiado.

Las dolencias cardíacas han afectado al 5 % de los pacientes que hemos tratado con L-dopa. En general, se observa una aceleración en la actividad cardíaca y arritmias. Estas complicaciones pueden resolverse con relativo éxito con un tratamiento adicional a base de los denominados betabloqueantes (Trasicor, 3 veces 20 mg). Hay que recalcar que los pacientes con graves lesiones cardíacas deben someterse con mucha precaución a una terapia con L-dopa. Los enfermos que han sufrido recientemente una infarto de miocardio quedan excluidos durante un tiempo.

Otro efecto secundario de la terapia a base de L-dopa es la denominada hipotensión ortoestática, la baja presión en posición erecta. El enfermo de Parkinson que recibe un tratamiento con L-dopa presenta una tensión arterial normal cuando está acostado, sin embargo, al levantarse, la presión sistólica disminuye, lo cual está acompañado por una deficiente cantidad de sangre en el cerebro que puede provocar vértigo, problemas de la visión e incluso pérdida de la consciencia. Ya que los inhibidores periféricos de la descarboxilasa (benseracida o carbidopa) no mejoran ni eliminan estos efectos secundarios, la hipertensión ortoestática puede ser considerada un efecto secundario central. Los medicamentos que aumentan la tensión periférica (por ejemplo, Efortil) no dan resultados convincentes. Es mejor administrar antidepresivos o preparados contra la hipotensión (por ejemplo, Efortil) combinados con Hydergina. El deprenilo prácticamente no influye sobre la hipotensión en posición erecta. Por tanto, no incrementa en modo alguno el efecto de la noradrenalina en el cerebro.

En el caso del vértigo cardiovascular, los pacientes afirman sufrir confusión mental, no tener la cabeza clara, que la visión se les oscurece y además tienen la sensación de perder la conciencia. Objetivamente se percibe la dificultad de mantener el equilibrio. Estos estados de vértigo se producen por una irrigación insuficiente del cerebro. Ello tiene gran importancia para los enfermos de Parkinson, ya que una caída suele producir una fractura ósea y los períodos prolongados de inmovilización aumentan la dificultad para el movimiento. Esta pérdida de la movilidad nunca se podrá recuperar hasta los niveles que se tenían antes de la inmovilización. Si la sensación de vértigo es leve, siempre aconsejamos al paciente usar uno o dos bastones de paseo ya que los cuatro puntos de apoyo al andar ofrecen más seguridad.

El vértigo rotatorio es otro tipo, en el cual el paciente que está en postura echada y quiere darse la vuelta, siente como gira toda la habitación. Si vuelve a la posición inicial desaparece el vértigo. El vértigo rotatorio está producido por la estimulación de las células nerviosas del nervio del equilibrio en el troncoencéfalo. No solamente aparece en los enfermos de Parkinson, sino también en aquellos pacientes que sufren de una degeneración o anquilosamiento de la columna cervical. Al girar la cabeza se irrita o comprime la arteria que se extiende por toda la columna cervical hasta llegar al cerebro, lo cual limita la irrigación de las células nerviosas del centro del equilibrio situado en la base del cráneo con el resultado del vértigo rotatorio. En el paciente de Parkinson significa que la musculatura de la nuca está contraída unilateralmente. Esta tensión muscular parcial provoca, a su vez, una limitación en la irrigación cerebral y, en determinados casos, un ataque de vértigo rotatorio.

Para el tratamiento se recomienda administrar To-recán.

Los efectos secundarios que afectan a los procesos del movimiento (motricidad) no son solamente las complicaciones más frecuentes, sino también son las más difíciles de neutralizar si no se utilizan preparados con amantadina. En nuestro estudio, realizado con 1.414 pacientes, aparecen hipercinesias en el 18,5 % de los casos y contracturas musculares en el 7 %. Normalmente, en el cuerpo estriado (figura 3) existe un equilibrio entre los neurotransmisores acetilcolina y dopamina, sustancia que presenta un déficit en los enfermos de Parkinson. Como consecuencia de ello, el exceso de acetilcolina causa una mayor lentitud de movimientos (acinesia). Si se administra L-dopa al enfermo, puede recuperarse el equilibrio entre estos dos neurotransmisores, los enfermos pueden volver a moverse con normalidad. Si, por el contrario, la dosis de L-dopa es excesiva, predominará la actividad de la dopamina por encima de la propia de la acetilcolina. El resultado es la aparición de los movimientos automáticos. Estos movimientos no se pueden controlar mediante la voluntad y son de tipo coreático (baile de San Vito).

¿Qué posibilidades tiene el médico para frenar la hiperactividad de la dopamina? El medicamento ideal que elimine la hipercinesia y conserve la movilidad normal no se conoce hasta el momento. Las drogas neurolépticas (Haloperidol Esteve, Leponex) bloquean los receptores de la dopamina y conducen de esta forma al control de la hipercinesia. Naturalmente, estas sustancias neurolépticas producen una intensificación de los síntomas del parkinsonismo. Ocurre lo mismo como con la reducción de la dosis de L-dopa. Los movimientos involuntarios desaparecen, pero reaparece de nuevo la retardación de los movimientos. La hipercinesia suele aparecer en el momento de máxima efectividad de la levodopa, es decir, cuando en el cerebro se desarrolla la mayor actividad de la dopamina. Si las dosis de L-dopa ya aparece antes hipercinesia y espasmos de los párpados (blefarospasmo). Los movimientos involuntarios de los labios y las mejillas, de la musculatura de la cintura escapular y de las extremidades suelen ser toleradas por el paciente. En algunas ocasiones se producen giros espasmódicos de la cabeza y del tronco (distonía de la torsión). Estas contracturas son tan dolorosas que hacen necesario reducir la dosis de levodopa y, al mismo tiempo, administrar Valium (5 mg 3 veces al día).

Este tipo de hipercinesias son los efectos secundarios más frecuentes de la terapia con levodopa. No se pueden neutralizar en grado suficiente y siempre deben interpretarse como un signo de la avanzada degeneración de las células nerviosas que sintetizan dopamina. Solamente la reducción de la dosis de levodopa o de los agonistas dopaminérgicos y sus sustitución parcial con Amantadinas Llorente o Juventus pueden limitar estos movimientos incontrolados o hacerlos desaparecer por completo.

En los cursos malignos de la enfermedad, pero también en los pacientes jóvenes cuya enfermedad avanza con lentitud, las hipercinesias aparecen antes y con mayor intensidad. Lamentablemente, en el curso del tratamiento no se produce un incremento de la tolerancia, es decir, no desaparecen si se sigue un tratamiento, como ocurre con los vómitos, sino que persisten con la misma intensidad. La excitación psíquica las agrava de forma notable, reduciéndose cuando desaparece la situación que las ha desencadenado. Si, por ejemplo, el paciente entra en la consulta del médico comenzará a temblar considerablemente. Si permanece sentado durante 5 minutos, habrá amainado la tormenta de movimiento. Para evitar este incremento de la excitación pueden administrarse beta-bloqueantes (Trasicor 20 mg) o un tranquilizante (Valium 2 mg, Exatín 3 mg, Donix 1 mg). Como es natural, estos medicamentos deben administrarse aproximadamente una hora antes de que se produzca la situación que, con toda probabilidad, provocará el agravamiento de la hipercinesia (ver esquema de tratamiento y tabla 4). En muchos casos, la reducción de la dosis de DOPA en un 50-70 % junto con una dosis adicional de Amantadinas Llorente o Juventus puede ser un método muy efectivo.

Las contracturas musculares, que afectan sobre todo a la musculatura extensora de las piernas durante la noche, afectaron al 7% de nuestros pacientes. Estas contracturas son tan intensas que impiden que los pacientes muevan las piernas. Son muy dolorosas y duran entre 30 y 60 minutos. ¿Qué las provoca?

En la médula espinal existe un círculo funcional que regula la tensión de la musculatura (tono muscular). Se trata de un mecanismo de retroalimentación que regula principalmente la tensión de los músculos que actúan en contra de la fuerza de la gravedad. En el enfermo de Parkinson este centro es inactivo. El resultado de ello es la postura encorvada del enfermo. Gracias a la levodopa se normaliza la actividad del centro regulador. El paciente es capaz de mantenerse erecto durante determinados períodos de tiempo. Por la noche, cuando no se alcanza la actividad motora del día, se observa un exceso de dopamina, lo cual provoca contracturas de la musculatura extensora a causa de la hiperactividad del centro regulador.

En los casos leves puede eliminarse la dosis nocturna de levodopa. Si las contracturas no son muy importantes, el paciente puede encontrar alivio andando durante unos 5 a 10 minutos. Este aumento de la actividad disminuye los niveles de levodopa y las contracturas desaparecen. Cuando los pacientes sufren fuertes y dolorosas contracturas, que incluso pueden producir la hiperextensión de los dedos del pie, es posible administrar Valium (5 mg) o Lexatín (3 mg), como también Divial (Donix 1-2,5 mg).

Ya se ha mencionado anteriormente que las *fases de depresión* aparecen acompañando los primeros síntomas de parkinsonismo. Los estados de malhumor, agotamiento, la ansiedad, la visión pesimista del mundo y una serie de quejas hipocondríacas, aparecen con mucha frecuencia. Las correspondientes fluctuaciones en el estado de ánimo, que muchas veces pueden alcanzar el grado de una depresión de intensidad media, también se manifiestan en el curso del tratamiento con L-dopa.

Terapia de movimiento

Es comprensible que tanto el enfermo como sus familiares que hayan leído sobre las medidas de rehabilitación, quieran obtener información acerca de la terapia de movimiento intensiva, incluso exigen que el enfermo siga una. La culpa de estas situaciones la tienen, en muchos casos, los libros de divulgación médica en los cuales se presentan diversos ejercicios gimnásticos con gran profusión de explicaciones e ilustraciones, las cuales muestran lo que se llega a hacer con los enfermos de Parkinson para devolverles la capacidad de locomoción. Esto último es completamente imposible. No existe para el médico situación más incómoda que cuando un enfermo, que ha podido ser controlado, responde a nuestro comentario: «¡Ahora camina con mayor facilidad!» diciendo: «¡Sí doctor, esto es porque hago gimnasia cada mañana!» Hacerles entender tanto al paciente como a sus familiares que hacer gimnasia solamente ha sido posible gracias al tratamiento con levodopa es un trabajo muy arduo.

Con respecto a la rehabilitación, hay que hacer algunas aclaraciones: en la Segunda Guerra Mundial, uno de los dos autores de este libro (Birkmayer), mientras trabajaba en un sanatorio para soldados con lesiones cerebrales, pudo conseguir notables mejorías de aquellas lesiones, producidas por las heridas en la cabeza, mediante el seguimiento de un plan de rehabilitación óptimo, incluso en algunos casos se consiguió una completa recuperación. Las condiciones que lo hicieron posible fueron las siguientes:

1. Se trataba de personas jóvenes.
2. Se podía movilizar las funciones de reserva de un cerebro sano.

En la actualidad, ocurre lo mismo con las lesiones (traumáticas) producidas por un accidente de tráfico o laboral. La plasticidad de un cerebro joven, junto con la aplicación de una terapia adecuada, es condición fundamental para conseguir el éxito. También en el caso de las apoplejías, sobre las cuales hemos recogido experiencias durante más de 20 años de actividad profesional en el departamento de neurología de la Residencia de Lainz, hemos podido comprobar que por más masajes, tratamientos de hidrocinesiterapia y fisioterapia que se hagan no se conseguirá nada si la capacidad para rehabilitarse es insuficiente, es decir, la rehabilitación solamente puede tener éxito si es posible la movilización de las energías disponibles.

En el caso del enfermo de Parkinson existe, tal y como ya se ha comentado con detenimiento, una escasez más o menos avanzada de neurotransmisores. Un tratamiento de movimiento intensivo no compensará este déficit, sino que incluso lo incrementará, influyendo a la larga muy negativamente sobre el curso de la enfermedad. Además de ello, el paciente no debe dejarse sugestionar por las numerosas exigencias a nivel de movimiento, creyendo que aquí se encuentra su poder curativo. Tampoco existe un método de hidrocinesiterapia especial que produzca mayores efectos curativos. Uno de los deberes del médico es aclararle, tanto al enfermo como a sus familiares, que la energía para la rehabilitación del enfermo de Parkinson se encuentra tan disminuida por la carencia química que cualquier esfuerzo sistemático al que se someta únicamente tendrá consecuencias negativas para él. Con frecuencia, la esposa del enfermo se queja de que su marido se ha convertido en un vago: «Cada día debo obligarle a dar un paseo, al cabo de 15 minutos ya está cansado y solamente quiere sentarse. Tengo que recordarle constantemente que se ponga recto.» Estas personas sufren una decepción cuando se le da la razón al enfermo y se recomienda ajustarse en todos los aspectos a las capacidades y, sobre todo, las necesidades individuales de cada enfermo.

Después de haber hecho estas puntualizaciones, hay que mencionar que los enfermos de Parkinson encuentran gran placer al realizar ejercicios de movimiento, tanto pasivos como activos, en el agua caliente. De esta forma, consiguen un cierto alivio de su rigidez, que se extiende más allá del tiempo de tratamiento. En el agua caliente se consigue, principalmente, un equilibrio entre la musculatura flexora y la extensora. Todos los movimientos que realiza el enfermo de Parkinson encaminados a vencer la fuerza de la gravedad se ven seriamente limitados (por ejemplo, el salto). En el agua caliente, la fuerza de la gravedad prácticamente desaparece, lo cual le permite estirarse, recuperar la posición erguida de la espalda y mover de nuevo activamente las manos y los pies contraídos. Gracias a ello, después de una sesión de hidrocinesiterapia puede ponerse de pie, cerrarse un botón y cortarse él mismo la carne durante la comida.

En aquellas secciones hospitalarias, donde se da la posibilidad de seguir este tipo de tratamientos, debe hacerse buen uso de los mismos. Naturalmente, en el caso de los pacientes de edad avanzada debe controlarse la circulación sanguínea. El paciente no obtendrá ningún beneficio si puede moverse en el agua caliente pero por ello sufre un colapso o problemas cardíacos.

No tiene ningún sentido hacer sufrir al enfermo las molestias del tráfico urbano durante una o dos horas para llegar a un lugar donde pueda seguir este tipo de tratamiento, ya que el esfuerzo del traslado consume más energía de la que se recupera gracias al tratamiento.

La segunda medida que puede resultar beneficiosa es el masaje de la musculatura contraída. Sobre todo las articulaciones anquilosadas cercanas al tronco (hombros y caderas), así como toda la musculatura de la espalda, responden muy positivamente a los rozamientos y los ejercicios pasivos de movilidad articular. Se trata de un tratamiento que puede realizarse en casa. Especialmente las contracturas de la musculatura de la espalda provocan neuralgias secundarias en algunos segmentos de la misma. Estos estados dolorosos producidos mecánicamente por los vicios de postura de la columna vertebral pueden verse influidos positivamente por el masaje.

Consejos para la vida cotidiana y el cuidado personal

La vida diaria del enfermo de Parkinson

El desarrollo del día

La regla principal para los familiares de una persona enferma de Parkinson es la de conservar la independencia y autonomía del enfermo durante todo el tiempo posible. Debe hacer por sí solo todo lo que sea posible, aunque solamente sea para que conserve su sentimiento de autoestima si no tiene que depender de las personas que le rodean.

También sus movimientos cada vez más lentos y sus síntomas cambiantes a lo largo del día hacen que el enfermo necesite más tiempo para hacer todo aquello que se le permita. Por esta razón, la paciencia es una de las principales virtudes que deben tener los miembros de la familia de un enfermo de Parkinson. Es necesario ayudar al enfermo a ayudarse a sí mismo.

En las primeras fases de la enfermedad, el objetivo del tratamiento debe consistir en conservar la capacidad laboral durante tanto tiempo como sea posible.

Para el trabajador autónomo es más fácil, ya que él mismo puede determinar su horario laboral.

Si el enfermo es un asalariado, la jubilación anticipada suele ser una buena solución. El consumo de energía producido por el estrés sufrido en el puesto de trabajo, los horarios fijos, las dificultades del camino hacia el trabajo, entre otros factores, agravan los síntomas de la enfermedad. Cuando ha obtenido la jubilación, el enfermo suele presentar una mejoría notable de su estado general. Mientras no exista una limitación motora importante, no hay nada que objetar a que el paciente conduzca un turismo (estudio del Prof. Ritter, Alemania).

El paciente se muestra muy agradecido si el día transcurre de acuerdo con el *ritmo acostumbrado*. Debe poder realizar sus actividades con tranquilidad, sin presiones ni prisas, comer a la hora de siempre e incluso preparársela él mismo en un ambiente tranquilo. Las fases de actividad y descanso deberían ajustarse a un plan determinado.

Para facilitarle al enfermo las acciones de vestirse y desvestirse, su ropa debería ajustarse a sus limitaciones, a su poca agilidad con los dedos. Hay que evitar las camisas y trajes con botones, sustituyéndolos por cierres de velcro. No deben utilizarse americanas, sino jerseys de cuello redondo. Los pantalones sin cinturón, sino con cinturilla elástica, son mucho más fáciles de vestir. Los zapatos no deberían cerrarse con cordones, sino ser de tipo mocasín. Un calzador con un mango largo resulta una ayuda imprescindible.

Existen descalzadores con mango lo suficientemente largo para poderse quitar los zapatos sentado manteniendo la pierna estirada, mientras se sujeta el mango con una mano.

Todas las piezas de ropa deberían colocarse al

alcance de la mano al lado de la cama. Existen colgadores especiales y aparatos pensados para ayudar al enfermo a ponerse y quitarse los calcetines. Observen las figuras 9 a 12.

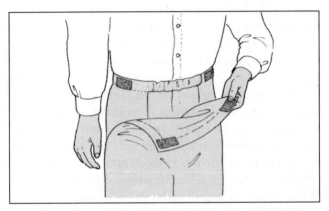

Figura 9: Pantalón con parte delantera de una pieza y cierre con velcro.

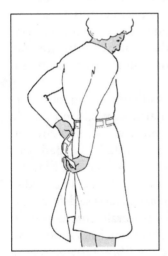

Figura 10: Falda envolvente con cierre de velcro sin sujeciones fijas.

Figura 11: Camisón de noche con pliegue posterior envolvente.

Por suerte, la *dieta* puede ajustarse a los deseos personales de cada enfermo. El valor de la comida en la escala de preferencias del enfermo aumenta progresivamente junto con la edad.

La dieta pobre en albúmina que antes se seguía para evitar la intolerancia hacia la levadopa hoy está superada. La dieta debe ser variada y estar de acuerdo con los hábitos alimentarios del paciente. Naturalmente, no debe ser excesivamente abundante, ya que incrementará el peso del cuerpo que debe movilizar. Acerca de las costumbres en cuanto a la bebida, solamente hay que decir que si la persona estaba acostumbrada a beber vino con la comida, uno o dos vasos de vino al día no son ni perjudiciales ni peligrosos.

Las bebidas con alta graduación alcohólica (whisky, cognac, wodka) deberían evitarse. Generalmente, el enfermo deja de beber por propia iniciativa estas bebidas, ya que nota inmediatamente que se reducen considerablemente su movilidad y su actividad mental. Entre nuestros 3.000 enfermos nunca tuvimos un caso de enfermo alcohólico.

Los problemas digestivos tienen una gran importancia para el enfermo de Parkinson. Cuando no va de vientre cada día, el enfermo cree que va a envenenarse. La limitación de la movilidad y la edad producen problemas de estreñimiento de por sí. El tratamiento con L-dopa empeora aún más la actividad intestinal. No existe ningún problema si se defeca solamente dos veces por semana. Naturalmente, es mucho mejor si el enfermo puede mantener el ritmo de su digestión con una dieta rica en fibra. Hoy en día, se tienen muchas posibilidades para ello, pudiendo tomar salvado, fruta, verdura, yogur y pan integral. Los esta-

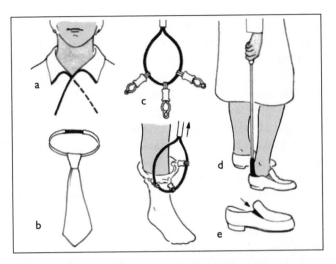

Figura 12: Medios de ayuda para vestirse y desvestirse:
a) Camisa de caballero con escote extensible.
b) Corbata con porción elástica que queda oculta debajo del cuello de la camisa.
c) Calzador de calcetines para personas que solamente pueden utilizar una mano, especialmente útil para las señoras.
d) Calzador con mango extralargo, con frecuencia elástico.
e) Zapato con cierre elástico.

blecimientos de productos dietéticos ofrecen una amplia gama de alimentos naturales. Si al cabo de un tiempo no se consiguieran los efectos deseados recomendamos tomar laxantes naturales (por ejemplo, Pursenid) o químicos (por ejemplo, Dulcolaxo).

El sueño

El enfermo de Parkinson debe dormir tanto como necesite. Si el tratamiento con L-dopa le provoca pesadillas, ansiedad o insomnio deberá eliminarse la dosis de la noche o administrar Deprelio (10-25 mg). La dosis habrá sido determinada correctamente cuando el enfermo duerme bien y se siente descansado por la mañana.

Si sufre de un ligero embotamiento sensorial y tiene alteraciones del peso corporal, ello indicará que la dosis es excesiva. Los somníferos potentes (barbitúricos como, por ejemplo, Luminal) no están indicados para el enfermo de Parkinson. Si es necesario administrar somníferos, serán Mogadón o Noctamid. La capacidad para conciliar el sueño puede estar alterada por la depresión que suelen padecer estos enfermos, pero que es posible eliminar y desaparece al cabo de unos días o semanas siguiendo un tratamiento médico.

El paciente también puede tener dificultades para conciliar el sueño a causa de la sensación urente en los pies, la hipercinesia, o el hormigueo o prurito que allí siente (lo cual suele ser un síntoma de una depresión latente).

Sobre otras alteraciones del descanso nocturno del paciente se hablará en el capítulo dedicado al cuidado del enfermo.

La sensibilidad a las influencias atmosféricas

La especialidad de los enfermos de Parkinson a las influencias atmosféricas produce con frecuencia, malestar y malhumor. Se convierte en una persona letárgica y apática, sin hablar ni una palabra, que de repente es agresiva e impaciente, llevada por impulsos incontrolables. En ocasiones se ve dominado por una imperiosa necesidad de viajar, tiene dificultades para adaptarse a su entorno y resulta difícil para la convivencia.

El paciente de Parkinson se encuentra mejor cuando el tiempo es seco y anticiclónico (las temperaturas diurnas deben oscilar entre los 18 y los 25 °C). El sol y el calor excesivos no son bien tolerados, tampoco la lluvia y la niebla. El paciente tiene mayor necesidad de oxígeno. Los pacientes tienen pocas dificultades para pasear por el bosque, mientras en la ciudad les cuesta moverse. Una estancia en un lugar situado a una altitud de más de 1.200 metros no es recomendable, ya que la menor cantidad de oxígeno produce malestar. Al elegir un destino para las vacaciones deben tenerse en cuenta estos aspectos.

Los balnearios no producen ninguna mejoría en el paciente, todo lo contrario, empeoran su estado, sobre todo los baños en aguas sulfurosas. También las aguas con un alto contenido en radón no son recomendables, ya que producen un incremento importante del temblor y provoca estados de excitación e insomnio. Los baños en las aguas de mar cálidas producen en el paciente una sensación de bienestar, dado que el cuerpo no se ve sujeto a la fuerza de la gravedad y la rigidez disminuye con los movimientos en el agua. La temperatura de la misma debe ser de al menos 28 °C, pero no ser muy superior. Debe controlarse la circulación sanguínea.

La vivienda

Ya al inicio de la enfermedad de Parkinson debería comenzarse a adaptar la vivienda al enfermo con un poco de cariño y poniéndose en lugar del mismo, ya que ello puede facilitarle la vida al paciente y ahorra muchos disgustos a las personas que deben atenderle.

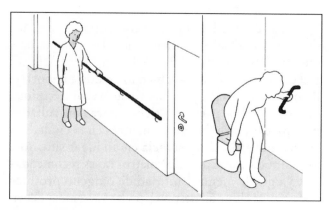

Figura 13: Asideros instalados adecuadamente.

Las alfombras de tamaño reducido, los felpudos y cualquier tipo de pequeño obstáculo en el suelo se convierten en un gran problema y generan un peligro de caída constante para el enfermo, ya que éste no puede levantar bien los pies y tiene tendencia a tropezar. En sus caminos cotidianos desde la cama al baño, la cocina y la habitación de trabajo, en las estanterías y muebles debe existir espacios libres (sin objetos móviles, jarrones ni tapetes) donde el paciente pueda sujetarse y apoyarse sin tirar nada al suelo. Lo ideal son los asideros de longitud variada que se pueden fijar sin dificultad a la pared (figuras 13 y 14). Los interruptores de la luz deberían tener una superficie ancha que solamente sea necesario empujar suavemente para encender y apagar la luz. Los sillones deben ser estables y tener brazos no excesivamente bajos, ya que, de lo contrario, el enfermo no podrá apoyarse para ponerse en pie. En el cuarto de baño es conveniente instalar asideros en varios puntos y colocar una alfombrilla antideslizante dentro de la bañera. También el retrete debería contar son una sujeción.

La cocina debería ser adaptada de tal forma que

facilitara la preparación de la comida diaria. En el siguiente capítulo se comentarán estos aspectos en mayor detalle.

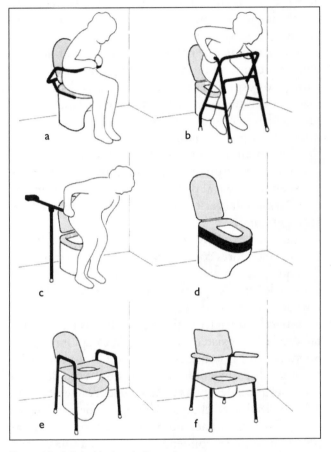

Figura 14: a) Sujeción instalada en el retrete.
  b) Muletas con cuatro puntos de apoyo.
  c) Asidero fijo en la pared.
  d) Elevador para retrete encastrado.
  e) Elevador para retrete móvil con asideros.
  f) Silla con orinal.

Medios de ayuda

Existen muchos aparatos e instrumentos prácticos que ayudan al enfermo de Parkinson a realizar sus tareas diarias, sea a nivel privado y profesional, como también en su tiempo de ocio.

No permitan que nadie les desanime cuando reciban una respuesta negativa al preguntar por los instrumentos especiales para el enfermo de Parkinson. Dado que numerosos síntomas concuerdan con propios de las personas reumáticas, los pacientes con diferentes tipos de parálisis, debilidad muscular en brazos y manos o incapacidad en un brazo, se dispone de una amplia gama de medios de ayuda que parecen hechos a propósito para los enfermos que Parkinson (ver también el capítulo dedicado al aseo personal).

También existen ayudas para la marcha de distinto tipo (andadores con ruedas, caballetes con o sin ruedas) que pueden plegarse, con lo cual se consigue un ahorro de espacio que permite guardarlos en el maletero del coche (figura 15).

Cuando el paciente tiene dificultades para levantarse del sillón existen «asientos con catapulta» que se pueden colocar con facilidad sobre la superficie de asiento. Hay que cuidar de que el paciente no caiga hacia delante al levantarse. Para ello es conveniente no colocar el sillón en el espacio libre, sino delante de una mesa. Cuando el paciente ya no sea capaz de andar por sí mismo, se recomienda adquirir una silla de ruedas, disponible en distintos modelos (los seguros de enfermedad pueden sufragar una cantidad para su adquisición). La silla de ruedas produce un gran alivio al enfermo, también a las personas responsables de su cuidado. Existen modelos plegables que pueden

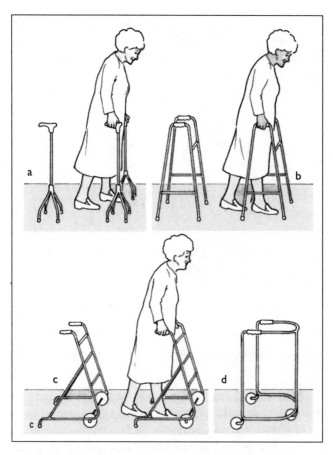

Figura 15: a) «Bastón con cuatro puntos de apoyo»: uno o dos bastones con cuatro patas fijas que ofrecen al paciente una mejor sujeción y más seguridad.

b) «Caballete»: un armazón de metal muy ligero, recomendado para todos los pacientes con dificultad para la marcha.

c) «Patinete»: sobre todo adecuado para los pacientes que siguen un tratamiento de reeducación de la marcha.

d) «Andador»: es más voluminoso que el «patinete» pero ofrece mayor estabilidad y permite adelantar con mayor fluidez.

121

llevarse en el coche. Si al paciente le apetece salir de casa, debería hacerse realidad su deseo, aunque exija la colaboración de los miembros de su familia. ¡Vale la pena! (figura 16).

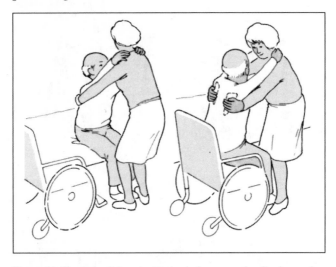

Figura 16: Traslado del paciente desde la cama a la silla de ruedas.

Mientras el enfermo aún sea capaz de levantarse por sí mismo de la cama, ésta debería colocarse al lado de la pared, fijando asideros en la pared como también en la cabecera de la cama. Para el cuarto de baño se pueden adquirir sillas móviles para la ducha o taburetes con patas antideslizantes.

La bañera también deberá estar provista de asideros, alfombrillas antideslizantes, un apoyacabezas, de ser necesario también un asiento especial para permitir que el paciente se siente a mayor altura y pueda levantarse con más facilidad. Para entrar y salir de la bañera existen unos aparatos especiales que se colocan sobre la misma y son fáciles de manejar.

Se pueden adquirir esponjas, cepillos y manoplas con mangos largos y anchos, incluso puede alquilarse un recipiente especial para lavarse el pelo. Para el retrete se dispone de adaptadores especiales y elevadores con o sin apoyabrazos, que pueden levantarse para que resulte más fácil trasladarse a la silla de ruedas (figura 14).

Es muy importante que la cocina esté equipada con todo lo necesario para facilitar la preparación de la comida, sobre todo en caso de la mujer afectada de Parkinson. Lógicamente, también hay hombres aficionados a la cocina que pueden enfermar de Parkinson y que no deberían renunciar a este placer.

Existen tablas para cortar de distintos tipos, que permiten fijar el plan con una pinza especial o ensartar la carne en unos punzones de acero inoxidable, lo cual le da el aspecto de cama de faquir. Las tablas mismas pueden sujetarse al borde de la mesa con tuercas, también los cuchillos de todo tipo. Para abrir el grifo del agua o hacer girar los mandos de los electrodomésticos se pueden comprar agarres especiales que pueden adaptarse. La fuerza necesaria para el movimiento de rotación y la dificultad parar sujetar y cerrar con los dedos se reduce de esta manera al mínimo.

Para lavar la vajilla se fijarán unos cepillos especiales con ventosas al borde de la pila, permitiéndose que el chorro de agua caiga sobre el cepillo y lavándose así los platos con facilidad.

Es posible barrer y fregar el suelo permaneciendo sentado en la silla de ruedas y utilizando una pala y una escoba especiales.

Resulta muy positivo para el estado de ánimo general cuando se puede llevar a cabo el acto de comer y beber de acuerdo con las necesidades individuales y sin ayuda, aunque los familiares quieran intervenir movidos por las mejores intenciones. Además, contribuye de forma determinante a conservar el sentimiento de autoestima. Para no perder la autonomía es imprescindible que el paciente disponga de instrumentos y aparatos especialmente adaptados a sus necesidades.

Cubiertos. Ya que el enfermo de Parkinson sufre frecuentemente una alteración de los movimientos de precisión de los dedos no puede sujetar adecuadamente los cubiertos. Para él existen cubiertos ligeros con mango largo (figura 18). Algunos incluso tienen unas hendiduras especiales para que la mano no pueda deslizarse (de forma similar que en el palo de los esquís). Con ayuda de una cierre de velcro se pueden fijar los cubiertos a la mano. Para los pacientes con una debilidad muscular importante se han desarrollado aparatos gracias a los cuales puede sujetarse un lápiz manteniendo el brazo apoyado en la mesa.

Figura 17: Cubiertos con mangos especiales.

Figura 18: a) Ayuda para escribir en casos de parálisis u otras limitaciones del movimiento de la mano.

b) Cepillo con ventosas.

c) Lazo que permite llevar el bastón al tiempo que es posible sujetarse a la barandilla.

d) Ayuda para pasar las páginas de un libro.

e) Sujeción para las cartas de juego.

Vajilla y cristalería. La vajilla puede consistir en platos con un borde más alto, ya que esta forma especial evita que el convenido se vierta por encima del borde. La base estable del plato está provista de un aro de goma para que no resbale. Los vasos de plástico tienen un pie ancho para que no puedan volcar si la mano del paciente no tiene la suficiente firmeza. Otros modelos con dos asas y una tapa con boquilla evitan que se vierta el líquido. Existen mangos especiales que se puede adaptar a los vasos de las formas más variadas y facilitan considerablemente el acto de beber.

Ayudas para el tiempo de trabajo y ocio. Los bolígrafos anchos y los «mangos para escribir» y que puede ajustarse a los utensilios de escritura permiten al enfermo de Parkinson incluso escribir solamente moviendo la muñeca sin necesidad de utilizar los dedos. Para pasar página y telefonear existen instrumentos especiales. Las reglas con la cara inferior de goma ya no necesitan sujetarse y permiten, a pesar de todo, trabajar limpiamente.

Las pinzas y tijeras tienen apoyos para colocarlos sobre la mesa y muelles que facilitan su utilización. Se evitan los deslizamientos con bases de material sintético.

Tampoco los aficionados empedernidos a los juegos de cartas tienen que renunciar a los mismos: el «sujetador de cartas» puede colocarse encima de una mesa sin que el vecino pueda verlas ya que es posible colocarlo en arco.

Los «sujetabastones» pueden fijarse a la mesa, lo cual permite llevarse el bastón y las muletas a todas partes (figura 18).

El aseo personal

Un ruego a los esposos, hijos y nietos de un enfermo de Parkinson: no se desesperen y no se deshagan inmediatamente del paciente, internándole en una residencia. El cambio de un entorno conocido a uno desconocido de por sí ya supone un trauma psíquico para el anciano sano y un desgaste de energía tan importante que le resulta difícil de superar. El enfermo de Parkinson, que además presenta un desequilibrio producido por la alteración de los niveles de neurotransmisores, percibe el cambio como una situación mucho más dramática, incluso trágica.

El internamiento en una residencia solamente debería decidirse cuando llega el momento en que las condiciones en casa no permiten un cuidado óptimo. Ello ocurre, naturalmente, cuando el enfermo tiene que quedarse solo en casa sin cuidados y sin poder comunicarse, situaciones en las cuales se hace necesaria la residencia.

En la actualidad existen numerosas ayudas públicas de tipo tanto económico como en cuanto a asistencia social que ayudan a los familiares a mantener al enfermo de edad avanzada que requiere cuidados especiales a pasar sus últimos días en casa, un derecho que realmente tiene.

Dado que el enfermo de Parkinson sufre un desequilibrio de los neurotransmisores en las células nerviosas, no es de extrañar que no siempre se muestre equilibrado y de buen humor. A ello se suma el efecto de los distintos medicamentos, que necesitan un cierto tiempo para surtir el efecto deseado, el cual disminuye una vez se ha alcanzado el grado máximo de eficacia. El comportamiento del enfermo, por tanto, está sujeto a numerosas fluctuaciones, que no solamente se manifiestan a nivel físico, sino también intelectual.

Estas alteraciones y la aparición de episodios de crisis sintomáticas hacen que la convivencia con el enfermo de Parkinson sea difícil, aunque él sea completamente inocente de ello. Si se conocen estas dificultades, los miembros de su familia serán capaces de una mayor compresión hacia el enfermo de Parkinson.

También tendrán que pasar por alto sus pequeñas manías, consistentes en tomar puntualmente sus medicamentos y sus comidas, o en la necesidad de cambiar de postura echada o sentada. Su círculo está tan limitado que se siente satisfecho con el simple hecho de que sus hábitos y pequeñas necesidades discurran sin problemas.

En las fases muy avanzadas de la enfermedad es posible que se observe confusión mental por la noche, provocada por los desequilibrios del troncoencéfalo. No entrañan ningún peligro, no son signo de ninguna enfermedad mental y, al día siguiente, todo habrá pasado. ¡Los familiares no deben temer al enfermo!

Los problemas miccionales constituyen un problema más desagradable que, naturalmente, persiste durante la noche. Por suerte, en la actualidad de dispone de pañales excelentes para adultos que mantienen seco al enfermo. Tanto para el paciente como para la persona que le atiende es mucho más fácil cambiar los pañales por la mañana y asear normalmente al enfermo, algo de por sí necesario, que levantarse constantemente durante la noche sin que haya verdadera necesidad, como ya se ha comentado antes. Naturalmente, se puede utilizar también un orinal si lo desea el paciente o lo permite su estado.

Si el enfermo presenta un adenoma de próstata no podrá excretar adecuadamente la orina y la consiguiente retención puede provocar infecciones urinarias que deben ser tratadas con antibióticos. Estas infecciones también pueden aparecer con el uso de un catéter vesical.

Todo enfermo debería ser tratado con cariño, al menos con consideración. Sin embargo, si se observa que utiliza su papel de enfermo para dominar a quienes le rodean no hay inconveniente en frenarle un poco.

Cuanto más avanzada está la enfermedad, más importantes son los cuidados. Para facilitarles a los pacientes, por ejemplo, las comidas, la carne deberá cortarse en pequeños trozos; el enfermo que ya no puede valerse por sí mismo debe ser lavado y vestido. Es esencial observar una buena higiene bucal.

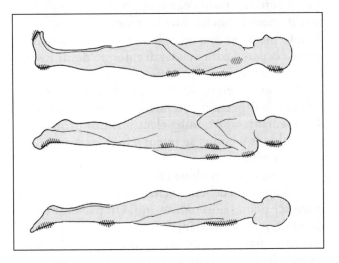

Figura 19: Zonas problemáticas de la piel.

También es de suma importancia el cuidado de la piel, ya que el permanecer en la cama puede dar lugar a heridas por decúbito. Las zonas de la piel sobre las que se acuesta el paciente no se irrigan de forma suficiente, lo cual reduce el aporte de nutrientes que provoca una muerte celular local (necrosis). Para prevenir esta situación, es imprescindible cambiar al enfermo con frecuencia de postura para que no aparezcan puntos de presión sobre la piel. Cuando el paciente ya no sea capaz de girarse en la cama por sí mismo (con ayuda de trapecios, asideros en la pared, etc.) no es una vergüenza si pide que le den la vuelta. Si ya no es posible cumplir el deseo del enfermo se puede alquilar un elevador que facilita esta tarea. En determinados casos, el médico puede aumentar la dosis nocturna de L-dopa en perjuicio de la dosis de la mañana o el mediodía para de esta forma crear las condiciones idóneas para que el enfermo pueda cambiar por sí mismo de postura durante la noche. En este estadio de la enfermedad, lo mejor es acercar solamente la cabecera de la cama a la pared para ayudar al enfermo desde los dos lados de la misma (figura 19).

Para evitar el decúbito se pueden adquirir unos colchones especialmente ideados que son accionados mediante una bomba eléctrica. Los protectores para talones y codos se pueden fijar fácilmente con vendajes adhesivos.

En principio, el clima en el cual viva un enfermo de Parkinson no debería excitarle en exceso, pero tampoco ser demasiado monótono. Un paciente que, a pesar de su enfermedad, quiere seguir estando en el centro de atención y desarrolla una actividad desmesurada, deberá ser frenado, ya que su energía está limitada por la cantidad insuficiente de neurotransmisores. Por otra parte, tampoco hay que dejarle todo el día en soledad. También los pacientes en un estadio avanzado de la enfermedad disfrutan con la compañía y con las novedades que puedan contarle. Asimilan la información aunque no puedan reaccionar frente a ella a nivel de lenguaje. Agradecen las excursiones en silla de ruedas al campo, a un concierto o a ver una obra de teatro, así como los pequeños cambios en su ritmo cotidiano. La televisión y la radio son unos pasatiempos ideales si se evitan los programas demasiado violentos. Las cosas que parecen insignificantes se convierten en grandes experiencias.

Las alegrías de la vida de un enfermo de Parkinson se limitan cada vez más, pero la intensidad con que se viven aumenta. Su agradecimiento es una contrapartida, aunque reducida, a la dedicación de sus familiares.

La muerte del enfermo de Parkinson no es en modo alguno dramática. La mayoría de los enfermos entran en una crisis acinética, se cansan cada vez más y finalmente se duermen para siempre.

Palabras clave

acetilcolina. Neurotransmisor.

acinesia. Retardación del movimiento, falta de fuerza.

afecto. Sentimiento, como la alegría o el miedo.

agonista. Actividad concreta contraria a la antagonista.

alucinaciones. Percepción imaginaria.

amina. Neurotransmisor.

aminoácido. Precursor de la amina biógena.

análogo. Correspondiente, igual.

anastomosis. Uniones entre dos vasos sanguíneos.

animal alfa. Guía en un grupo.

antagonista. Actividad contraria, ver agonista.

anticolinérgicos. Medicamentos, que provocan una inhibición del sistema parasimpático.

arteria. Vaso sanguíneo que conduce la sangre desde el corazón a otro órgano.

arteriosclerosis cerebral. Calcificación de las paredes de los vasos sanguíneos del cerebro.

atrofia. Reducción, desaparición.

betabloqueante. Inhibidor de los receptores de la noradrenalina.

bioquímica. Química en el organismo vivo.

biofeedback. Sistema de autorregulación en el organismo vivo.

bradifrenia. Lentitud de pensamiento.

cardíaco. Que se refiere al corazón.

corea. Baile de San Vito (enfermedad nerviosa).

córtex. Corteza cerebral.

decúbito. Herida producida por estar en reposo durante largo tiempo.

depresión. Estado de ánimo hundido, disminución del tono afectivo.

depresión reactiva. Depresión provocada por factores externos.

descarboxilasa. Enzima que sintetiza dopamina a partir de L-dopa.

descompensación. Alteración del equilibrio.

diasistolia. Relajación del corazón después de una contracción (sístole).

DOPA. Aminoácido, precursor de la dopamina.

dopamina. Neurotransmisor.

drogas neurológicas. Drogas para disminuir los estados de excitación.

edema. Acumulación de líquido en los tejidos.

efecto «off». Bloqueo de los movimientos.

emoción. Sentimiento intenso.

encefalitis. Inflamación del encéfalo.

endógeno. Que se produce «desde dentro».

enzima. Complejo orgánico que cataliza las reacciones bioquímicas.

extrapiramidal, motricidad. Movimientos automáticos, involuntarios.

extrasístole. Contracción prematura del corazón, independientemente del ritmo normal.

feedback. Retroalimentación.

fenilalanina. Aminoácido, a partir del cual se sintetizan neurotransmisores.

fisionomía. Expresión de la cara.

fisiología. Estudio de las funciones normales del organismo.

γ-aminobutírico, ácido. Neurotransmisor.

ganglios basales. Acumulación de células nerviosas.

glaucoma. Enfermedad que produce el aumento de la presión intraocular.

globus pallidus. Órgano del sistema extrapiramidal.

glucógeno. Forma de almacenamiento del azúcar sanguíneo.

glutamina. Neurotransmisor.

hidroxilasa. Enzima.

5 - hidroxitriptófano. Aminoácido, precursor del neurotransmisor serotonina.

hipercinesia. Movimientos involuntarios.

hipertrofia. Crecimiento desmesurado.

hipófisis. Cuerpo o glándula pituitarios.

hipotonía, hipotensión. Tensión arterial baja.

idiopático. Sin causa conocida.

infarto de miocardio. Infarto cardíaco.

inhibidor COMT. Inhibidor de la enzima catecol-o-metil-transferasa.

intravenoso. Dentro de la vena.

MAO. Monoaminooxidasa.

melanina. Pigmento oscuro.

menopausia. Cesación natural del período femenino.

mitocondrias. Región donde las enzimas sintetizan los neurotransmisores.

monoaminooxidasa. Una enzima que sintetiza los neurotransmisores en la célula.

motricidad. Conjunto de movimientos musculares activos y voluntarios.

MPTP. Droga que produce el Parkinson.

músculo bíceps. Músculo flexor del brazo.

músculo tríceps. Músculo extensor del brazo.

nanogramo. Billonésima de gramo.

necrosis. Muerte local del tejido.

nervio vago. Nervio que controla el sistema parasimpático.

neutralizar. Equilibrar, compensar un efecto mediante otro.

non-responders. Pacientes que no responden a un tratamiento.

noradrenalina. Neurotransmisor activador.

núcleo caudado. Región del sistema extrapiramidal.

nucleus ruber. Núcleo rojo.

o-Metiltransferasa. Enzima que destruye los neurotransmisores.

ortoestatismo. Postura erguida del cuerpo.

palilalia. Repetición patológica de una palabra o frase.

parasimpático. Parte del sistema nervioso vegetativo que controla la generación de energía.

parestesia. Sensación anormal de tipo térmico, táctil, etcétera.

Parkinson, James. Médico inglés.

periférico. Contrario a central.

peristalsis. Movimientos intestinales para hacer progresar los alimentos.

pigmento. Colorante.

polaquiuria. Emisión anormalmente frecuente de orina.

precursor. Sustancia previa a un neurotransmisor.

pródromo. Signo que indica el comienzo de una enfermedad.

progresivo. Que avanza.

profilaxis. Tratamiento preventivo.

propulsión. Tendencia a caer hacia delante.

próstata. Órgano glandular propio del sexo masculino.

psicosis. Trastorno central de las funciones psíquicas.

putamen. Núcleo del sistema extrapiramidal.

remisión. Desaparición de los signos de una enfermedad.

reserpina. Sustancia química que se encuentra en una planta india.

sistema límbico. Región cerebral situada entre el troncoencéfalo y la corteza, centro vegetativo.

tono muscular. Tensión muscular.

Índice analítico

138

Direcciones útiles

ESPAÑA

**Asociación Parkinson
Galicia**
c/ Durán Loriga, 9, 6° B
15003 La Coruña
Tel. (981) 22 44 40
Fax. (981) 22 67 58

Parkinson España
c/ de la Torre, 14, bajos
08006 Barcelona
Tel. (93) 416 03 20
Fax. (93) 416 10 60

**Parkinson España
Albacete**
c/ Baños, 36, 5° C
02005 Albacete
Tel. (967) 24 24 74

**Parkinson España
La Rioja**
c/ Avd. Portugal, 1, entlo. 4ª
26001 Logroño
Tel. (941) 20 32 02

**Asociación Balear
de Parkinson**
c/ Vinyassa, 12-C, bajos
07005 Palma de Mallorca
Tel. (971) 46 50 65

Parkinson Bizkaia
c/ General Concha, 25, 6°
48010 Bilbao
Tel. (94) 417 10 22

Fundación Parkinson
c/ Diputación, 279, 1° 2ª
08007 Barcelona
Tel. (93) 487 95 53
Fax. (93) 487 59 60

**Van. Asoc. Valls
Amics Neu**
c/ Antonio Maura, 1, 1er. 3a.
08225 Terrassa (Barcelona)
Tel. (93) 788 20 80

Parkinson Madrid
c/ Estrecho de Gibraltar, 21, 1°
28027 Madrid
Tel. y Fax. (91) 367 60 15

Parkinson España-Navarra
c/ Cultura, 5, 7º entreplanta G
31010 Barañain
Tel. (948) 18 36 36

Parkinson Aragón
c/ Monasterio de Cigena, 1
    (Colegio)
50002 Zaragoza
Tel. (976) 41 60 07

Parkinson Valencia
c/ S. Vicente Mártir, 190
    Esc. B, 1º 1ª
46007 Valencia
Tel. (96) 342 00 64

Parkinson Guipúzkoa
c/ Parque Alkolea, 7
20012 San Sebastián
Tel (943) 27 33 00

Parkinson Catalunya Cerdanyola
G. V. Prat de la Riba, 3, 3º
08290 Cerdanyola (Barcelona)
Tel. (93) 691 63 53

Agora-Parkinson Granada
c/ Pedro Antonio de
    Alarcón, 31, 5º E
18004 Granada
Tel. (958) 25 70 38

Colección Resortes

10. V. Kast, *Cuando los hijos se van*,
128 págs., ISBN 84-254-1952-2

11. B. Besten, *Abusos sexuales en los niños*,
184 págs., ISBN 84-254-1990-5

12. J. P. Caldwell, *Dormir*,
368 págs., ISBN 84-254-2008-3